SUPER FUN
SUDOKU
ON-THE-GO!

Conceptis Puzzles

STERLING
INNOVATION
A Division of Sterling Publishing Co., Inc.
New York

4 6 8 10 9 7 5 3

Published by Sterling Publishing Co., Inc.
387 Park Avenue South, New York, NY 10016

© 2007 by Sterling Publishing Co., Inc.

Distributed in Canada by Sterling Publishing
c/o Canadian Manda Group, 165 Dufferin Street
Toronto, Ontario, Canada M6K 3H6
Distributed in the United Kingdom by GMC Distribution Services
Castle Place, 166 High Street, Lewes, East Sussex, England BN7 1XU
Distributed in Australia by Capricorn Link (Australia) Pty. Ltd.
P.O. Box 704, Windsor, NSW 2756, Australia

Manufactured in the United States of America

Sterling ISBN-13: 978-1-4027-4694-9
ISBN-10: 1-4027-4694-6

For information about custom editions, special sales, premium and corporate purchases, please contact Sterling Special Sales Department at 800-805-5489 or specialsales@sterlingpub.com.

CONTENTS

Sudoku is a number placing puzzle based on a 9x9 grid containing several given numbers. The object is to place numbers in the empty squares so that each row, each column, and each 3x3 box contains the numbers 1 to 9 only once.

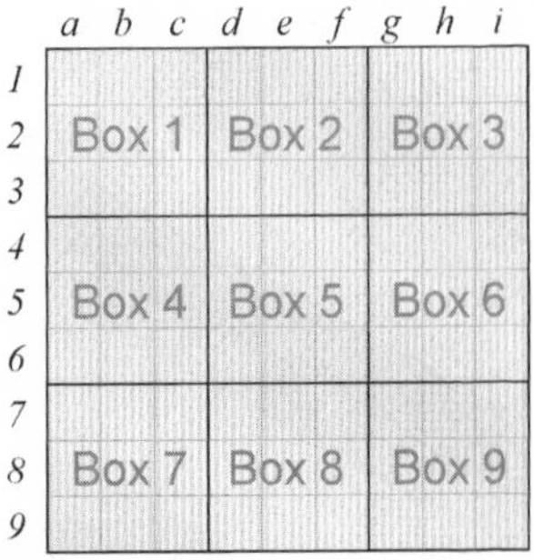

A sudoku grid consists of 81 squares divided into nine columns marked a through i and nine rows marked 1 through 9. The grid is also divided into nine 3x3 sub-grids named Boxes, which are marked Box 1 through Box 9.

	a	b	c	d	e	f	g	h	i
1									
2		Box 1		Box 2			Box 3		
3									
4									
5		Box 4		Box 5			Box 6		
6									
7									
8		Box 7		Box 8			Box 9		
9									

The easiest way to start a Sudoku puzzle is to scan rows and columns within each triple-box area, eliminating numbers or squares and finding situations where only a single number can fit into a single square.

Hard puzzles require a deeper logic analysis which is done with the aid of pencil marks. Sudoku pencil marking is a systematic process of writing small numbers inside the squares to denote which ones may fit.

Here are some solving techniques:

1. Scanning in One or Two Directions

Let's see where we can place 1 in Box 3. In this example, Row 1 and Row 2 contain 1s, which leaves two empty squares in the bottom of Box 3. However, Square g4 also contains a 1, so no additional 1 is allowed in Column g.

This means that Square i3 is the only place left for 1.

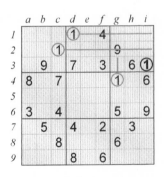

2. Searching for Single Candidates

Often only one number can be in a square because the remaining eight are already used in the relevant row, column, or box.

Taking a careful look at Square b4, we can see that 3, 4, 7, and 8 are already used in the same box, 1 and 6 are used in the same row, and 5 and 9 are used in the same column.

Eliminating all the above numbers leaves 2 as the single candidate for Square b4.

	a	b	c	d	e	f	g	h	i
1				1		4			
2			1				9		
3		(9)		7		3		6	
4	(8)	(2)	(7)				(1)		(6)
5									
6	(3)		(4)				5		9
7		(5)		4		2		3	
8			8				6		
9				8		6			

3. **Eliminating Numbers from Rows, Columns, and Boxes**

There are more complex ways to find numbers by using the process of elimination.

In this example, the 1 in Square c8 implies that either Square e7 or Square e9 must contain 1. Whichever the case may be, the 1 of Column e is in Box 8 and it is therefore not possible to have 1 in the center column of Box 2.

So the only square left for 1 in Box 2 is Square d2.

	a	b	c	d	e	f	g	h	i
1			9	2		3	8		
2				(1)		9			
3	4		8	6		5	1		3
4	1		2				9		4
5									
6	8		3				5		2
7	9		6	5	(1?)	2	3		7
8			(1)						
9			5	4	(1?)	8	6		

4. **Eliminating Squares Using Naked Pairs in a Box**

In this example, the pencil marks (in grey) show that 4 and 9 can only be in Square c7 and Square c8. We don't know which is which, but we do know that both squares are occupied.

In addition, Square a6 excludes 6 from being in the left column of Box 7. As a result, the 6 can only be in Square b9.

	a	b	c	d	e	f	g	h	i
1	4			8		9	1		
2			7					9	
3	9	5			2				7
4	1				9				3
5	3	9	2	4		7	8		
6	(6)				3				9
7	7	2	4 9		8			6	
8		1	4 9				2		
9		(6)	3	1		2			4

Such cases where the same pair can only be placed in two boxes are called Disjoint Subsets, and if the Disjoint Subsets are easy to see, they are called Naked Pairs.

This technique is also useful for rows and columns.

1

	3	6						
		9			2			3
				1	3		2	6
	1	8						
		2		8		5		
						3	4	
8	4		5	9				
6			3			8		
						9	6	

2

				2				5
1	3					7		
7			9		1			
		8	5			1		
	2			9			5	
		5			6	9		
			3		8			1
		6					9	2
3				6				

			8	4			3	
9								
		2		6		4		
			6		7			3
6		1		9		7		8
2			1		8			
		6		7		8		
								9
	7			3	9			

3

				2				
2		1		4	7	3		9
					5			
	2	3						
9	7			5			6	4
						2	3	
			2					
1		4	6	8		9		7
				1				

4

5

	5						7	
9		4			7			8
		6			8	3	1	
	3	9		7				
			3		4			
				1		5	6	
	2	5	8			4		
3			2			9		7
	9						2	

6

9					7			4
	4	3		2			5	
				5			6	
5				1				
	3	8				6	2	
				7				9
	7			3				
	2			6		4	8	
1			9					7

1				2				7
8	9		4		3		2	1
		3				4		
	4			6			9	
		9				6		
7	1		8		2		3	6
4				1				2

7

6								1
		2		3	4			
					1		5	
	2	4		1				
	9		8		6		2	
				7		4	8	
	5		4					
			3	8		2		
9								5

8

9

		6	8	1	7	9		
8		5				3		4
1			2		4			6
7								2
9			6		8			1
4		8				5		9
		7	3	9	5	2		

10

		7		4				
		3	6		8			
							5	3
	4			8			3	
1			5	3	2			6
	9			7			8	
7	2							
			4		9	6		
				5		4		

	2	5						
		6			4			2
				9	1		5	8
	8	9						
		2		6		8		
						5	7	
9	4		7	8				
5			3			1		
						7	9	

11

				9		2		
			7		8			
8		4		1		7		
	3		4		6		1	
2		1				3		4
	5		1		9		6	
		6		4		1		3
			2		3			
		3		5				

12

13

					2	3	5	
			7			1		9
					1	2	6	4
	2				7	4		6
5		6	9				3	
1	6	4	5					
8		2		9				
	7	5	8					

14

7			8		6			2
			5		9			
		2				1		
2	6						5	9
				7				
1	9						8	7
		6				4		
			3		4			
9			7		1			5

15

	1	3				9		
					8			7
8		7			6	2		3
	4	1		5				
				9		3	6	
9		2	4			5		8
7			6					
		8				6	2	

16

	5				9	6		
						1		8
8	3	2	6			7		
6						3		
			4	1	2			
		8						1
		6			8	4	5	2
2		5						
		4	7				6	

17

2		6		7		5		9
			9		4			
8								1
	5						8	
1								4
	9						3	
6								8
			5		1			
3		4		8		7		2

18

	3		1	7				
		1						2
			8				7	
			4		5	3		7
1				9				6
7		5	2		1			
	2				4			
6						9		
				5	7		3	

19

6		3	2				1	
				5		8		2
4			9				6	
1		9						
	6						5	
						6		1
	9				3			4
7		2		9				
	1				4	2		7

20

			8					
		8				3		
	4		5		2		1	
6		5		9		7		
			1		7			
		9		3		4		2
	2		3		1		5	
		7				9		
					8			

21

				9		1		
			4			3		
4	5		8	2				
						5	6	
5		4		7		9		8
	1	2						
			3	9			7	4
		3			1			
		8		6				

22

	2	6						
		9			4			1
				5	1		2	7
	3	5						
		1		7		5		
						3	6	
2	9		3	1				
5			2			8		
						2	4	

6				5		3		1
				2				
9		2				5		
			5		6			
5	7						9	6
			8		1			
		9				8		7
				6				
3		1		4				5

23

	2				1			9
			7		3	1		
	6	9						
		6				4		
			1	3	4			
		2				7		
						5	4	
		1	2		5			
7			8				2	

24

25

3	6		2		5			4
								8
			9					
5			6		4			1
		4		5		8		
8			1		9			7
				1				
9								
1			3		8		5	2

26

6					9			2
	5			1			7	
		9	4			5		
9						4		
	1		5	2	3		9	
		7						6
		8			2	6		
	9			8			4	
2			9					1

27

	1			2			4	
2								7
			5	1	4			
		8				3		
3		4		5		9		2
		2				4		
			2	8	7			
5								4
	6			9			1	

28

	2						4	
8			5		9			1
			6		2			
	8	9				1	3	
				9				
	7	4				5	2	
			8		1			
9			2		3			6
	6						7	

29

8	7							2
			3	2				5
		1				4		
			8		3		7	
	3			5			8	
	5		2		6			
		6				3		
3				9	5			
1							9	8

30

6		1			5			3
		7						
				8	9		7	4
1		4						
		3				6		
						2		9
2	5		1	7				
						4		
7			3			9		2

31

	7							
3		6	1	5		9		
	2		8				1	
	5	9	2					
	4			7			3	
					9	7	5	
	3				4		6	
		8		6	3	5		2
							4	

32

	6	4						
		1	6					4
			2	1			5	6
				9		4	7	
		5		6		8		
	3	2		4				
6	7			2	1			
5					8	1		
						9	4	

33

	2		3				5	
	1							
			7					1
	5	9			7		2	
		1	8	5	9	4		
	3		6			8	9	
4					8			
							1	
	7				2		3	

34

4	8				6	5	1	
		3	5	8			4	
7	4				5	9		
		1	7				2	3
	9			7	3	6		
	5	6	1				8	9

1	9			5		6		4
			7			5		2
8	7							
							9	
7				2				1
	3							
							6	3
9		3			8			
5		6		1			4	7

35

			9					
	2	8					5	
		6		3		4	7	
				9				6
		4	7		2	1		
8				4				
	3	1		6		9		
	5					8	3	
					1			

36

37

		9	8	7		4		
						1		
8	6			5				3
				3				8
5		4				6		2
1				9				
3				2			5	9
		5						
		6		4	7	3		

38

4				7			2	
	1	7	8		6			5
	9							
	4						9	
2				4				6
	6						5	
							1	
6			9		8	4	7	
	5			3				2

39

		7				5		
			4		8			
5		2		6		3		4
	7						3	
		1		8		2		
	5						9	
9		8		2		6		7
			9		1			
		5				1		

40

	2						1	
			8		2			
		4	5		9	7		
	8	2		4		3	5	
			7		1			
	1	6		3		8	9	
		8	3		4	5		
			6		8			
	5						6	

41

3		2	4					8
				9				
		6				4		3
	8			3				6
			2		1			
1				5			9	
9		4				5		
			5					
6					4	1		9

42

							1	6
	4	3	8				2	9
	2		4					
	3	5	1					
					9	2	7	
					7		5	
5	6				2	7	8	
1	8							

8	3						1	4
4								5
			4		6			
		6		1		2		
			8	7	3			
		5		4		3		
			5		7			
9								2
1	5						4	7

43

	5		9	3		7		
7			2					
						1		6
6	1		5					
4				6				2
					1		4	3
8		7						
					3			4
		2		4	7		9	

44

45

3							4	6
8								
			5	1	7			
		8		4		2		
		7	9		5	1		
		9		3		6		
			2	7	1			
								2
4	5							8

46

	9		6		8		7	
8				1				4
				5				
7								9
	4	5		6		3	2	
1								6
				2				
6				4				5
	2		3		9		8	

47

			6			1		
		1	4			2		
7	9			8			4	
							1	7
		2		6		3		
6	4							
	7			2			8	5
		8			9	4		
		6			8			

48

	5		3		6			
		7						3
		1				2	8	
4			1		8			9
				2				
6			5		9			7
	4	2				3		
5						7		
			6		1		5	

49

	4		6			8		3
6				4				
			1		2			4
7		8				5		
	9						4	
		4				3		1
1			9		7			
				6				5
3		5			8		1	

50

8		2		9				4
			5			6		
	6							3
				1			6	
3			7	6	9			1
	9			3				
4							7	
		8			3			
7				2		5		6

			8				1	
9		4		3				
		1		2		5	7	
								6
	7	3		5		8	4	
6								
	9	8		6		7		
				8		1		2
	4				1			

51

					3			
	9				4	3	2	
	1	7		8		6		
7	8							
		2		7		1		
							3	7
		1		3		7	4	
	4	9	2				8	
			9					

52

53

	6				1		8	
5			7		8		4	3
			6					
	4	7					3	6
				9				
9	2					4	1	
				9				
6	9		8		5			7
	3		1				5	

54

			7			1		
		3	4			2		
8	5			6			3	
							9	8
		9				7		
7	2							
	4			5			1	2
		7			3	4		
		1			8			

55

	3	4			2			5
7			3	8				
5								
	2			3				6
	4		2	7	6		3	
9				4			5	
								8
				1	8			2
2			4			7	9	

56

						6	9	
8			2		7			
4		6				2		
	3		5		1		7	
				7				
	9		6		4		2	
		8				7		1
			4		3			8
	1	3						

57

			4	7	5			
2	7						6	1
4	9						3	8
			8	4	2			
8	6						5	7
9	1						8	4
			1	9	7			

58

	1	2			3	9	7	
6				4				1
1			8		5			
	5			1			9	
			3		7			8
5				6				2
	6	8	2			3	5	

	1				2			
3		2					4	
	8			7		5		
				6				8
		4	3	9	5	1		
2				8				
		5		1			7	
	7					9		4
			4				1	

59

	9	6		3			7	
5					9			2
					8			5
	2	5						
9				4				6
						8	3	
7			2					
1			4					7
	6			8		5	4	

60

61

5		3		4		8		2
8			9	7				1
						1		
	7	8		1		3	4	
		6						
3				9	5			4
2		1		3		6		5

62

1						9		5
			9		2	8		
2	4		8					
	5			9		4	6	
	6	8		2			7	
					7		3	2
		1	5		3			
3		4						1

63

	8	6	1					
	2			4				
	7		2					
7			5					
	5	8	3		2	9	6	
				7				1
				1		5		
			6			3		
				8	4	2		

64

	6						1	
8		2	6					5
			4				9	
				7		6	4	
			8		3			
	7	9		1				
	1				2			
4					7	5		9
	5						3	

65

			4		9			
		4				2		
	5	2				6	7	
8			2		3			7
				4				
3			6		7			1
	3	9				1	6	
		7				5		
			9		5			

66

				7	2		9	1
						8		2
						4	6	
			6	7				3
9			4		1			7
5			8	3				
	9	5						
1		8						
4	7		6	2				

67

	9	1				7	4	
	4		1		5		6	
			7		8			
5								9
		4		2		1		
1								4
			9		3			
	3		6		7		1	
	6	8				5	7	

68

			9				2	
1		6		8				
			4	1	7		6	
		9				3		8
	5	1				6	7	
3		8				5		
	7		2	4	1			
				5		2		3
	2				6			

69

							2	
8	3	5	7				4	
			4		6		8	
		4				9	5	
			1		7			
	5	2				8		
	6		5		9			
	7				2	1	3	4
	8							

70

			9	1	7			
	4			8			5	
		3				8		
9								5
6	5			7			2	8
1								3
		9				6		
	7			4			8	
			2	9	5			

	4	5						
		9			2			1
				8	6		9	5
	9	7						
		3		1		4		
						6	3	
2	5		3	7				
4			9			3		
						1	7	

71

		8				1		
7				9				6
2				5	8			9
		1						
	9	4	7		5	8	2	
						5		
4			2	3				5
3				6				7
		2				4		

72

73

		8						
	1		7			8	3	
	4		6					7
			1		7	3	9	
				5				
	3	1	8		2			
3					1		5	
	7	6			9		2	
						6		

74

	9					2	8	
7		5	9					4
	1							3
	6		2		4			
				8				
			6		7		5	
5							6	
3					1	7		8
	8	1					9	

75

		5		7	8	2		
	6	4			5	3	9	
	7	9						
	2			3			1	
						6	8	
	9	2	1			7	6	
		8	5	6		1		

76

9		3				4		7
			9		6			
5								8
	7			2			6	
			5	7	1			
	1			6			5	
1								2
			3		2			
2		8				3		4

77

		7	8				6	
	2			9	1	7		
4				3				
6			5					
	8	2				9	1	
					2			5
				6				4
		1	4	2			5	
	3				5	8		

78

3				4	2			7
					3			
		9				4		
1	6			5				
8				9		1		4
				7			3	8
		1				9		
			6					
2			7	3				6

79

3		2			5			7
		1						
				4	2		8	9
4		7						
		5				9		
						6		5
2	7		4	6				
						7		
9			8			3		1

80

1	6		5	7			4	
				1		7		
3			2			8		
				3		9		
			1		5			
		5		2				
		7			9			6
		8		4				
	5			8	2		3	1

81

						9	1	
4		7			8			
1			4				6	
	2		3		7	1		
		5	9		6		3	
	7				5			6
			8			4		5
	6	2						

82

			8			9		
			3			2		
9	3	7	6			5		
						3	1	6
				4				
6	5	8						
		1			8	6	7	9
		5			9			
		4			1			

83

	8						7	
7			1	2				6
			4		5			
		1				7	2	
	7			8			6	
	3	5				9		
			6		3			
1				4	7			3
	5						1	

84

		6					3	
1		4	3					
			8				9	7
			1		6	9	2	
	7	3	2		4			
8	6				5			
					2	5		6
	3					4		

47

85

		7				2		
			6		2			
2		8				4		1
	3			4			9	
			7	3	8			
	7			5			4	
6		4				8		2
			1		9			
		5				3		

86

						5		
	6	4			5		1	
	8			1		7		9
					3		4	
		8				2		
	9		6					
7		5		4			2	
	3		7			8	9	
		9						

87

			8		4			
		4	2	9	6	7		
	1						8	
1	3						4	6
	5						7	
7	2						5	1
	6						3	
		1	7	2	9	8		
			3		1			

88

7								3
		8			7	4		
3				8	6			5
	1	9						
		4				2		
						8	5	
9			1	5				4
		3	6			7		
8								6

89

			4			6		
		6	2			1		
1	8			7			5	
				5			4	7
		5				9		
9	4			3				
	7			4			2	9
		4			8	3		
		2			3			

90

		3				5		
	4		9		5		6	
9		8				2		1
	6			7			3	
			8		2			
	3			5			9	
3		2				1		7
	1		2		3		5	
		6				4		

91

		9				3		
7		4	9	3	8	5		2
	7		4		5		2	
	9						1	
	2		1		7		3	
1		5	3	6	2	9		8
		7				6		

92

	3				7			
		1		6				2
		9				4	3	
1			6		9			
	7			2			1	
			5		4			8
	6	4				9		
2				5		8		
			9				6	

93

				8				
		8	2		9	7		
	4	9				1	6	
	6						8	
4				2				1
	9						7	
	5	7				6	4	
		3	5		6	9		
				3				

94

6								8
			3		6			
	9	4				5	7	
	8			5			6	
			4	6	3			
	3			1			2	
	2	8				3	1	
			2		1			
7								9

	7				1	3		
		9			7	6		
	4					8		
2							1	7
		8				5		
5	1							4
		7					9	
		2	4			1		
		6	8				3	

95

			9		4			
		8	3		2	4		
		9		6		8		
9	6						7	8
		5				2		
2	1						4	9
		2		7		9		
		4	5		6	3		
			4		1			

96

97

					5	3	2	7
	1				8			5
					9			4
					2	8	4	1
5	4	3	7					
1			5					
2			6				7	
4	7	6	8					

98

				4	7			5
		6		5				
	8		6		1			
		9				3		6
1	5			7			8	2
4		8				1		
			1		9		4	
				2		8		
7			5	8				

99

7		8	2		5	1		4
	5			6			8	
4		1	6		9	2		7
	7			2			9	
6		9	8		3	4		5
	2			9			3	

100

5				9	1	6		
		8					5	
	7		2					4
		2	3					1
9								6
7					6	8		
6					2		4	
	8					5		
		5	9	3				7

101

1			3		4			5
		3	9		2	4		
		2				8		
6			5	3	7			2
		7				9		
		9	2			8	3	
3			1			9		6

102

	1				9			
3	7		1	2	4			
						8		
	5						1	6
	9			8			5	
1	2						3	
		7						
			7	6	5		2	3
			3				9	

103

	8		5					
	1		4				7	2
				1				
			9		7		5	6
		3				4		
7	4		2		5			
				6				
3	5				1		4	
					4		8	

104

					5	4	8	
6						7		
1	5			4				
8			5		7			
		5				3		
			9		8			4
				1			5	9
		1						2
	9	8	4					

105

			8		3			
	3						1	
	7		2		4		9	
5		1				2		3
				6				
8		9				4		5
	8		1		7		3	
	5						2	
			4		9			

106

3				4				6
		9			8			
				7			8	
	1		6		3			
6		3		9		7		2
			8		7		5	
	7			6				
			2			9		
2				5				8

107

	6		2		9		8	
1								4
		3		6		7		
4								5
		2		3		9		
9								7
		4		7		8		
8								3
	1		3		6		7	

108

		2	5			4		
		9						
8				7	3		5	2
		1						6
		5		4		2		
7						1		
3	9		4	2				5
						7		
		6			1	9		

109

		7	4	3		1		
		5						
3	9		5					6
8		9		6				
4			9		5			7
				2		5		4
6					3		1	5
						8		
		1		9	2	4		

110

	4							
		3		8	7		4	
	5	9	2			8		
	8					6	1	
			5					
	6	2					8	
		7			1	3	2	
8		1	4		7			
							7	

				8		4	5	
5	2		9				3	
3			4					
						6	9	
1			5	7	2			3
	3	8						
					5			9
	5				4		8	6
	9	2		3				

111

4							2	
	1				5		7	4
			4					3
	3	8	5				9	
				1				
	2				4	5	8	
7					8			
6	9		3				5	
	5							7

112

113

			4	2			8	
6	1	8					4	
			3				9	
								4
2		3		7		9		6
5								
	8			5				
	9					2	5	7
	2			1	6			

114

			8	4	5			
4	9		6		2		7	3
5		1				3		4
2								6
9		3				5		1
1	8		2		4		3	5
			9	3	7			

		6	5		9	2		
	2		4	1	6		7	
8	3						4	5
	4						2	
9	7						3	1
	9		6	7	2		1	
		7	8		5	3		

115

	8		6		9		5	
		3	7		1	9		
	2			4			9	
6			3		5			2
	4			2			8	
		7	8		3	1		
	1		2		7		4	

116

117

	4				3			
						7		2
	8			6	7			
7		4		1				
		3	2		6	1		
				5		6		3
			5	9			6	
8		2						
			7				4	

118

		5	7			9		
8		3	9			2		4
			2					
						3	8	1
			6	5	8			
4	2	8						
					1			
1		6			4	7		3
		2			9	6		

119

	9	7	8				5	
5				4				1
6					7			
7						3		
	2						9	
		6						7
			2					5
4				1				8
	3				4	9	2	

120

		2	5					
	8			7			3	
		3	6			1		8
						7		5
	1						6	
6		7						
8		4			2	6		
	9			6			1	
					3	5		

121

			8		4			
		5				8		
	7				2		5	
8		2						4
			9		7			
4						3		1
	6		3				1	
		1				7		
			6		9			

122

8	2	1			9			4
					5			1
					6			9
9	3	4						
				2				
						3	8	7
6			3					
4			1					
7			8			5	4	6

9						5	8	
			8	5				2
		4						9
	4				5	3		
	2						5	
		1	2				9	
2						4		
7				3	6			
	8	6						5

123

1								
		7			3		5	
	2	4	7		5		3	
		3			1		4	
4				6				8
	6		4			7		
	8		3		2	9	7	
	7		8			2		
								1

124

Super Fun Sudoku

125

				1			7	
8		9	2					
		3				1	4	
			1		5		3	
2				9				6
	7		8		2			
	8	2				7		
					9	4		8
	3			2				

126

		3	1	4	6	5		
			9		5			
1								8
7	2						6	4
3								9
4	9						7	5
5								1
			7		3			
		1	6	5	2	4		

68

127

				9				4
				5		3		
		5	1	6	2		8	
		9				5		
6	5	4				7	1	3
		2				6		
	7		6	3	5	2		
		1		8				
9				1				

128

1				7	4		2	8
8								
		3	5			9		
2						5		
6				9				2
		9						7
		6			5	3		
								4
9	8		2	6				5

129

5					3	1	7	6
1		8						
4				6			5	
2								
		7		1		9		
								4
	4			7				1
						6		9
9	5	6	2					8

130

5		6				1		9
				4				
1		7				3		4
			7		1			
	8						3	
			2		5			
7		5				9		6
				5				
8		9				2		7

131

		5				4		
	4						3	
1			7		2			5
		9		6		5		
			2	9	3			
		2		7		3		
3			4		5			2
	9						1	
		7				6		

132

				8	4	7	3	
2								
5		4				1		
3			8		2			
1				9				5
			7		3			9
		8				5		1
								4
	1	9	2	6				

133

	9							
		7	5		6	1		4
	4			3			2	
	1						4	
		3	8	2	5	6		
	5						8	
	3			7			9	
5		8	9		1	3		
							6	

134

	3	6						
		9			2			5
				7	1		6	9
	4	7						
		2		5		6		
						1	8	
4	5		6	2				
2			1			9		
						3	5	

135

6		7				2		3
				4				
8			9		6			4
		5				9		
	7			8			5	
		1				6		
7			2		4			9
				6				
9		6				7		1

136

		1	8				7	
	6							8
4			3	5	9			
9						7		
		2		9		4		
		4						1
		5	1	4				2
1							8	
	7				3	1		

137

		7				8		
			3	8	1			
6			4		5			1
	9	1				6	5	
	7						9	
	8	3				1	4	
3			2		7			6
			5	3	8			
		9				3		

138

			4		9			
		8				7		
	3		1		7		4	
4		7				8		6
				5				
9		3				5		2
	2		3		4		7	
		6				1		
			9		5			

		7	9		3	4		
			2	4	8			
1								2
2	6						5	8
	9						1	
5	4						2	9
3								1
			8	9	1			
		9	5		7	2		

139

3	7							5
			6			1		7
	8	4	7			9		
						6	5	
				9				
	5	1						
		7			3	4	8	
9		2			8			
5							1	3

140

141

	7						2	
				4				
2	6		9		1		4	7
		1	3			5	8	
	3						1	
		6	4			2	7	
7	9		1			4	8	2
				2				
	5						6	

142

1				6				5
		6	7		2	9		
	9						7	
	8						1	
4								7
	2						3	
	3						4	
		4	3		8	2		
7				5				9

143

		7			8	2		
	5		3				6	
		8		2		3		
4							9	
		2		5		6		
	3							2
		6		9		7		
	8				5		4	
		5	8			9		

144

	9		7		6		3	
4			8		5			2
1	6			3			4	9
			9		7			
7	4			8			5	3
8			1		9			5
	7		3		4		6	

145

5				1				
	2				4	6	5	
		1			9		7	
						1	6	
4								2
	9	7						
	5		4			2		
	8	3	6				1	
				7				8

146

	1	5				4		
						9		2
9	7		5					6
			4		1	2		
				2				
		8	6		5			
3					8		7	4
8		6						
		9				3	1	

	2					6		
9			4		2			
				1	9			7
	8		1		6	7	4	
		3				5		
	9	4	8		5		1	
8			2	9				
			7		3			6
		2					5	

147

		9					1	
			2	4		5		6
2					5		3	
	9					2		
	7			1			9	
		3					4	
	3		8					7
8		7		6	4			
	1					9		

148

149

	1					4		2
3				1			9	
			7		2			1
		9				7		
	5			4			1	
		8				6		
7			5		9			
	6			7				8
2		3					6	

150

9	8						3	2
	1			9			6	
		6				9		
			9	1	6			
		3				4		
			4	8	3			
		5				3		
	4			7			1	
2	9						5	6

151

7			6		9	2		5
			8			1		
5	4							
4							8	2
				3				
9	3							4
							3	7
		8			6			
6		7	3		4			8

152

	7	4						
		3			5			2
				4	8		1	7
	3	9		1				
		6				8		
				2		7	9	
4	9		5	8				
2			9			4		
						9	7	

153

						7		
	1				5	6	2	
9	7		3					
	8			5		1		
			4		9			
		2		1			5	
					3		1	9
	2	6	8				4	
		7						

154

				2		3		
	4		7			5	2	
5	1							
				8			1	
8			5	4	3			9
	6			1				
							7	6
	2	3			9		5	
		8		6				

155

7	6				3			1
			6		4	9		8
	8							
3	1						6	
				8				
	4						8	5
							2	
5		7	3		2			
6			7				5	3

156

			1		4			
		3		2		5		
	1	9				6	7	
5								6
	4			8			5	
8								2
	6	7				2	4	
		4		7		3		
			9		5			

157

6				5				1
			9	1		3		
	9		3					
						4	9	
4	7			2			8	5
	1	2						
					8		3	
		5		6	2			
8				9				6

158

	8	6			1	3	5	
4			7					1
5						6		
			3	4	8			
		7						9
1					7			5
	3	2	9			8	6	

1			5		2			3
		2				9		
	4						2	
	6	5				8	9	
			9		6			
	2	1				5	7	
	7						4	
		8				7		
4			6		1			9

159

6		9			3			2
		4						
				4	2		1	5
9		6						
		8				1		
						8		7
4	5		1	7				
						9		
8			5			3		4

160

161

			7			4		
	7	2		1			5	
9				5			8	
								6
	3	4		7		1	2	
8								
	1			8				7
	5			3		2	9	
		8			9			

162

		3			8	9	1	
			5					3
5				6				8
	8							9
		4		1		2		
7							4	
1				3				6
3					7			
	7	5	4			8		

163

			3				8	
4		7	2		5			
		3				4	9	
	5						1	6
				3				
2	6						7	
	1	5				8		
			6		4	2		1
	4				9			

164

	9			2			4	
6		2						7
			5				9	
			1		2	7		
7				9				8
		4	6		7			
	6				9			
1						3		4
	4			6			1	

165

			8		2	1		
		7				3		
8	9			1			4	
2			6		4			5
		1				9		
5			1		9			4
	3			2			9	8
		6				2		
		8	4		3			

166

			7		2		4	
		2			1	8		6
	5					1	3	
1							6	4
				4				
2	9							5
	8	7					9	
6		5	9			3		
	2		3		4			

							9	7
	3	5	4	7				1
	7		1					
	9	8						
	2			4			1	
						4	2	
					9		6	
3				8	6	5	7	
2	8							

167

9					4	1		3
				7	6			
2		3		9		4		
7	2							
	5	4				9	7	
							2	8
		1		4		2		6
			1	2				
5		2	8					4

168

169

	7	2			5			
3					8	2		
					9	1	4	
						4	5	
	6						7	
	4	8						
	2	6	3					
		9	4					2
			1			8	3	

170

		4				9		
	7		5				4	
8			3		4			5
		1				7	2	
				8				
	3	9				4		
6			2		7			1
	5				9		3	
		8				5		

	4	3						
		6			4			9
				9	8		3	5
	9	5						
		1		7		2		
						9	6	
4	6		7	8				
7			5			6		
						3	9	

171

	6	8						
		7			9			6
				2	8		7	3
	8	6						
		9	3		5	6		
						1	3	
1	5		8	4				
6			2			5		
						7	4	

172

173

	8		1		9		7	
		3				1		
				4				
		8	7		4	2		
	6			3			1	
		9	8		1	6		
				7				
		4				3		
	9		6		2		5	

174

3				5				7
	6						3	
			9	2				
		5	7		9			
7		3		2		1		6
			8		1	7		
			5	4				
	8						2	
1				7				9

175

		2	6			4		
9			2					5
3					7			2
		7					9	6
				1				
6	5					3		
2			5					3
5					1			7
		4			9	1		

176

2					6		5	7
8					4	2		
	9				8			
9	2	6						
						1	8	3
			6				2	
		4	1					9
6	3		8					5

177

	2	4	9					
	6		7			8	2	4
	3		4					1
						2	9	7
2	1	5						
7					1		4	
3	9	8			4		7	
					9	5	6	

178

	2			9			3	
		5				8		
	1		3		4		6	
		4				1		
2				5				4
		7				6		
	6		2		1		9	
		9				5		
	7			4			8	

179

4	5				3			6
			8		1	4		2
	2							
7	6						2	
				8				
	9						5	7
							3	
9		5	7		6			
1			4				9	5

180

1					7		3	4
5					9	7		
	7				2			
2	4	3						
				8				
						2	5	7
			6				8	
		4	3					6
8	2		5					1

181

		5		7		4		
	2		1		3		6	
		4	5		6	1		
	7			9			4	
		8	7		2	9		
	9		6		8		1	
		7		2		6		

182

	8		6				2	
1		5	7			9		8
			5					
						1	6	4
			3		2			
4	5	9						
					1			
6		4			9	5		2
	2				5		9	

183

2			6			8		
		7			8			5
		3			7			9
6			4			1		
		1			3			2
		9			5			8
7			5			2		
		6			9			3
		2			4			6

184

		6	3		8			
	7		9				8	
								5
5			1		7		9	2
4	1		6		5			3
2								
	6				2		3	
			7		4	9		

185

	6		1		3		8	
		3		5		9		
	5		8		6		2	
		7				8		
	4		7		1		5	
		4		3		7		
	9		2		8		6	

186

3					9			8
			3			9		
	2	5	1			3		
7						2	5	
			4					
	5	1						3
		4			7	8	1	
		6			5			
8			2					9

187

		2			5	1		
					1	8		
6	1							5
8	9		1		3			
				6				
			7		2		5	6
2							4	1
		1	9					
		7	3			2		

188

	7		9	1			4	
2								8
				2	7			
		2						9
9		3		7		8		2
4						5		
			1	3				
1								5
	5			8	2		1	

189

			3			6		
	5		9	6		2	1	
1	2							
			3				8	6
	7		8				9	
2	6		7					
							2	9
	9	7		1	6		3	
		2			4			

190

	4	3		6	2	8	7	
		9			7	1		
1	6							
9				4				3
							5	1
		4	8			6		
	8	1	6	7		9	3	

			4	9		5	7	
				5				1
		5			2			8
2						1		
3	1			2			6	9
		7						4
1			8			7		
8				4				
	5	6		3	1			

191

9	2				5			3
			3		4	9		5
	1							
2	4						6	
				5				
	8						9	7
							8	
4		8	6		3			
7			9				4	1

192

193

			8		5			
	1	9	3			7		
	3				4		6	
9	6					2		7
				1				
8		3					5	1
	4		9				7	
		5			2	1	8	
			4		7			

194

1				2				8
			7		9			
		9				5		
	3		6		1		4	
	9						6	
	2		8		5		7	
		8				2		
			5		6			
6				4				7

195

	1	3			2	5	6	
		8				2		
2				7				9
6				2				
		5		3		1		
				4				8
4				1				6
		2				4		
	5	7	8			9	1	

196

	3						1	
5			1		6			2
			8	9	7			
	1	2				8	6	
		7				4		
	5	9				2	7	
			4	5	1			
8			2		3			6
	2						5	

197

	6		7			1		
					3			7
8		1	6			2		
	8					9		5
4		6					3	
		3			7	8		6
2			4					
		7			9		5	

198

1						9		3
				5				
4	6				7			8
6	8				2			4
				9				
2			1				6	7
3			6				2	9
				7				
7		9						1

199

		1						
	9			4			3	
		8	5		7	6		1
		3				1		
	2			6			7	
		5				8		
8		6	9		2	7		
	1			3			4	
						5		

200

		2	5				9	
8		6	1					
							2	6
			9		7		6	3
7	3		4		2			
1	7							
					3	6		7
	2				9	1		

201

			2					
6		2	5			7		3
	4			8			5	
							1	6
		5	4	7	1	2		
1	3							
	1			2			6	
8		7			3	1		9
					7			

202

		1						
	3		7			2	1	
	8		9				6	5
			5		8	9	3	
	2	4	1		7			
2	4				6		5	
	5	7			3		2	
						3		

203

	1						8	
8			3		1			4
			2		9			
	4	3				5	6	
				2				
	5	7				8	2	
			4		5			
6			9		3			1
	9						5	

204

9					4			2
			5			3		
	3	4	7			5		
2						9	4	
	7	1						5
		6			3	1	7	
		5			2			
4			6					3

205

			8		4			
		7				8		
	8		1		3		2	
6		4				3		9
1		9				6		8
	5		2		1		8	
		6				9		
			9		8			

206

			8		9			
	9		2		7		4	
	8						7	
4	6			7			2	1
			6		8			
8	3			1			6	7
	4						8	
	2		9		4		3	
			1		5			

	2		4		8		6	
5								1
	4						5	
9				4				2
			1		5			
3				6				8
	7						1	
8								9
	5		3		2		4	

207

			6			7		
		8						
2		1	5	7		4	6	
						5		6
		6	4	2	7	9		
3		2						
	9	5		6	8	3		2
						6		
		4			1			

208

209

7			1					6
		4			3			
			2			8		
	5			7				2
		3	6	1	9	4		
6				3			9	
	1			6				
			8			7		
2					5			9

210

4	7						9	2
1								8
		3		6				
	1			2	7			
	6		4		3			
	5	7			8			
		5		9				
2								1
9	3						8	5

211

6	4					5		1
9				5				
			4		8			9
		8			4	1		
	9						7	
		7	5			6		
2			8		9			
				2				4
3		9					6	2

212

	3	8					5	
7			6					3
				2				8
			7				1	
		6		5		7		
	2				8			
9				7				
3					4			2
	1					8	7	

213

	5						2	
6			2		5			3
			9		7			
	4	7		8		9	3	
			5		3			
	8	5		9		6	1	
			6		1			
8			4		2			6
	3						5	

214

4					7		8	2
1				8	9	4		
	7				4			
8	2	3						
	5						9	
						8	2	4
			6				1	
		2	9	4				7
5	6		7					8

215

	5		9		8			
9						2		
			3			4	1	
5		4						6
				6				
3						8		4
	8	3			2			
		6						8
			1		4		7	

216

		6	5		8			
		8		2		9		6
4				9				1
		1	3		7	2		
9				6				7
1		2		7		5		
			9		4	6		

217

		9			6			3
	1			2			4	
4			7			8		
		2			4			5
	5			3			9	
3			9			4		
		1			7			9
	7			9			5	
2			8			3		

218

					4	5		1
	3		6					
		5			7		8	
		6	8				5	
			5	7	9			
	4				2	1		
	2		7			6		
				5			7	
1		7	9					

219

	5	4	1			6	3	
		8	3	6		7		
				9				
							5	3
	9	7					1	2
3	8							
				3				
		1		5	2	3		
	3	5			4	9	1	

220

		9	5	6				
	4					5	9	
	8				2			7
		1		4				9
8				5				3
9				3		6		
1			6				4	
	6	3					8	
				8	4	2		

221

2	3	6	5					
					3	8	9	
4	1	3	6		5	7	2	
	2	7	4		8	9	3	5
	4	8	7					
					6	2	5	9

222

4			9		5			3
		7				6		
	9						2	
5				4				8
			8		6			
8				3				9
	2						7	
		5				8		
1			5		2			4

223

				8				
5		1				4		2
	3		1		9		7	
		9				1		
			8		2			
		7				5		
	2		6		5		8	
1		4				6		5
				3				

224

		1	5	3	4	9		
9								1
8			7		2			3
6								2
5			6		8			9
2								7
		4	9	1	7	6		

225

4								6
			1		8			
		3		7		1		
	8		6		4		3	
		7		1		2		
	6		2		7		5	
		5		3		4		
			8		5			
2								7

226

		2	4	5		6		
			2					
9			3					5
			1		2	4	3	6
3								9
2	8	4	9		3			
6					5			7
					9			
		9		2	4	8		

227

		5				3	4	
4				6				
6				9	1			2
		9		5				
	5	3	6		7	8	1	
				3		4		
8			3	7				1
				2				4
	7	2				9		

228

			3	9		5	2	
9	1			2			4	
8								
								6
3	2		6		7		9	5
5								
								8
	4			8			3	9
	8	6		3	4			

229

			9					
	5			2	1	4	9	
	4	6				3		
	1							9
	8			3			4	
2							8	
		4				6	1	
	7	2	8	9			3	
					4			

230

		2		4	6		7	9
					2			8
1								
				8			5	2
8			6		9			1
2	3			5				
								7
3			9					
4	5		8	7		3		

231

		7						
		2		9	3	6		
1	6		4				8	
		4	7				2	
	8						9	
	7				5	3		
	4				8		3	9
		9	1	5		7		
						4		

232

	3		2	9				
	6	2		7			4	1
						6		
								9
5	2			4			8	7
1								
	7							
8	5			6		2	3	
				5	2		7	

233

		3	2		7	4		
				5				
6								9
8			3		6			4
	2						3	
1			9		8			5
5								3
				9				
		7	1		2	9		

234

5	7						3	8
9			1		6			2
2	5						8	4
			6	5	7			
6	3						7	1
4			9		5			3
7	2						9	6

235

5		7					2	
		3	6					1
	1		3				8	5
					1			
	8			5			6	
			7					
2	4				7		3	
9					8	7		
	3					9		6

236

			5	1				9
			8			5		
	8	6						
4			3		2	1		
3								5
		2	1		4			6
						2	3	
		9			6			
2				8	5			

237

		3		2			4	
								7
6			1	3				
		4	5					
9		7		8		5		3
					7	6		
			4	8				1
5								
	8			9		2		

238

	1	5		6				
8		7						
4	2			1	8			
			9			2		
7		6				3		4
		3			4			
			5	4			6	3
						1		8
				3		5	2	

239

	8	1	5					7
								4
		4	6	7			8	
					9	1		6
2		6	7					
	5			1	4	2		
3								
1					3	7	6	

240

6	4				9			
8						7	2	
				7			5	
					8			1
		8		2		5		
9			4					
	7			8				
	8	1						9
			6				1	5

241

				7				
		9	2	4		3		
	2		6				8	
						9	7	
9	3						2	5
	8	5						
	6				7		3	
		1		3	8	5		
				9				

242

	3		8			5		
			2		4	7		9
9	2							
	9						3	7
2	1						8	
							1	6
8		6	4		2			
		2			9		5	

243

3					6			7
		1						
		4	3	9		2	6	
8						4		
		6		2		9		
		3						2
	7	5		1	3	6		
						8		
9			7					1

244

8					9			6
	7			4			3	
		9	7			2		
9						1		
	4			3			6	
		2						9
		5			2	8		
	1			9			7	
6			8					3

245

5		2						3
	1		7				9	
				3				8
			6		4		3	
		7				1		
	6		8		3			
2				9				
	3				2		7	
9						3		6

246

		8				2		
			5		6			
4			8		7			1
	7	4				3	9	
				3				
	1	3				6	2	
3			7		1			4
			4		8			
		1				5		

			5					
	7	2				3		
	1		7	9		8		
					4			
7		6	4		1		2	
		5						
	8	3	1			9		
		7				2	4	
			8					

247

3						8		4
					5			
5		4		2	1	6		
	8	9						
		7		6		1		
						7	6	
		2	3	9		4		5
			1					
7		8						2

248

249

9	6							
8	5				7	2	3	
					1		4	
					8	1	7	
	4	3	9					
	3		2					
	7	5	4				9	6
							2	5

250

3					8		7	5
1					6	4		
	2				5			
5	4	9						
						8	9	2
			4				6	
		1	5					9
2	9		1					8

251

	6			5			7	
2		7	3		4	5		9
	3			4			6	
9		2	6		7	1		5
	2			8			1	
6		5	9		1	8		3

252

	2							
5	9		6			1		
			3		1		4	
	8	6		3		7		
			8		9			
		5		1		8	6	
	1		7		5			
		4			6		7	5
							9	

253

		9	6		8			2
						8		
5					1		9	
6			7			3		1
				3				
3		1			6			9
	9		2					5
	3							
4			3		5	6		

254

				1				
8								7
	3		7		5		2	
		7	1		3	5		
1				2				9
		2	4		8	7		
	8		5		9		6	
4								1
				8				

			8					
	3			4			6	
	7	6	1			2	9	
						1		5
	4			6			7	
3		1						
	5	8			2	7	4	
	9			3			8	
					5			

255

1	5							
		9	6					
				8	7	2		
		2	1					
4	8						3	6
					9	8		
		6	4	2				
					3	1		
							8	7

256

257

			9		1			
		2				8		
	1		3		8		5	
1		9		6		2		4
			8		2			
3		7		1		6		5
	3		6		5		9	
		1				4		
			1		4			

258

		3				1		
			9		5			
9			7		6			8
	5	2				9	4	
	6	4				7	8	
3			2		4			9
			5		8			
		7				2		

9		2				5		1
			1		7			
6				5				9
	1						4	
		7		3		9		
	5						2	
1				6				4
			2		5			
4		8				7		5

259

			4	2		6	8	
9								
1		2	6			3		
						7		6
2				3				9
6		7						
		4			8	5		7
								2
	6	5		4	7			

260

261

				2				
		2	7		4	3		
	3						6	
	5			7			1	
8			4		2			9
	6			5			2	
	7						8	
		9	5		3	7		
				6				

262

	5	3		6	1			
					9			2
			7					3
7	8					5		
2				4				8
		1					7	9
3					2			
9			1					
			3	5		6	9	

263

		8						
	5		7	1		9	8	
	1				3			2
		7	3		9		6	
	6						4	
	9		4		6	2		
4			8				7	
	8	1		6	2		9	
						8		

264

		1	2		6	9		
				8				
7								8
3				2				6
	9		5	6	1		4	
2				9				1
9								2
				5				
		5	7		3	1		

265

8					5			3
		4	6			9		
	7			9			5	
1							9	
		9		7		5		
	4							6
	5			6			7	
		1			4	6		
3			1					9

266

2	6							8
			2					9
		3		1		4		
			3		1		4	
		5		4		8		
	3		7		6			
		2		9		7		
7					8			
5							1	6

	3	9			1			
					9			1
			6	2				4
4	2					5		
		1		3		8		
		5					2	6
6				7	2			
3			4					
			3			7	8	

267

5	9				2		6	4
4			6		5			2
	2	8				3		
			8		3			
		1				4	5	
7			4		8			9
8	6		3				2	1

268

269

								9
		2			5	8		
	6		3				5	
		8		4			6	
			6	5	9			
	7			8		2		
	9				4		7	
		3	7			4		
5								

270

	9	2	6		7	8	3	
1				8				2
7								9
9								4
	4						1	
5								6
6								8
2				3				1
	1	8	5		9	4	6	

271

	9						6	
3			8		2			7
		5				2		
	8		7		9		1	
				3				
	3		5		6		8	
		9				4		
8			1		7			6
	2						9	

272

		2			8	4		
				4	9			
7					2			5
9	5	4						
	8			5			3	
						5	8	1
5			8					7
			4	1				
		1	6			2		

273

2				9				5
9				7				4
			4		1			
		7	9		2	1		
4	2						6	8
		3	6		4	5		
			2		8			
6				1				2
5				6				9

274

9		1				3		8
	3			9	8		1	
					3			
	6	7						
	2		9	6	5		8	
						2	6	
			1					
	5		8	2			3	
4		8				1		5

5				6	2			
		2			4			
	8					4		
				7			1	5
3			6		8			4
8	9			5				
		1					9	
			7			5		
			8	9				2

275

				8			2	
3			9			4		
	8	5	1			6		
						2	3	
7				1				9
	4	2						
		8			2	3	9	
		3			8			1
	6			7				

276

277

5			7		1	2		6
						1		
8	2			9				
6								7
		2		4		3		
1								2
				6			3	5
		9						
7		4	2		5			9

278

	5		6		4		1	
3								9
			5		7			
6		2				8		3
				7				
4		1				7		6
			7		8			
7								2
	6		4		5		9	

	6		7		3		5	
1				8				2
	8			1			4	
		5	4	9	2	3		
	2			7			9	
9				5				7
	5		8		1		3	

279

					8			6
8							2	
	3	5		1	7	8		
1						4		
		4		8		5		
		6						7
		1	9	2		3	4	
	5							2
3			7					

280

281

						2	8	
5			8		2			
9				3				
	6		5		9		3	
		7				1		
	4		6		8		5	
				8				4
			1		4			3
	1	2						

282

5	7				2			
3				4		6	1	
				9			7	
			2					8
	6	7				3	4	
8					3			
	1			5				
	5	4		8				7
			7				3	1

283

8								5
		4				9		
9	7				8		4	2
		3	6		4			
			5		9	4		
5	9		1				7	3
		6				2		
1								8

284

			9					
	7		4				5	
		4	1	8		6		
						3	4	2
		7		5		1		
4	8	1						
		9		1	6	4		
	3				8		6	
					2			

285

					4			
	9				1		6	
		8		7		9		
8	6		4		7			
		2				5		
			3		2		9	6
		9		8		7		
	1		7				4	
			5					

286

2								5
		5	3		9	8		
	7						6	
	8			6			4	
			1	9	4			
	5			3			2	
	6						5	
		1	8		2	3		
8								1

	9	7		8			2	
1					6			9
					5			4
	4	6						
7				3				1
						3	4	
6			2					
2			8					3
	7			4		1	9	

287

		6	3	8				
		7						1
	5	1						2
4				3		8		
9				6				3
		2		9				4
6						4	3	
5						7		
				4	6	5		

288

289

9					7			4
		8						
		6	2	3		5	9	
4						2		
		5		9		6		
		7						8
	3	2		8	5	9		
						4		
1			7					6

290

	7	5	3	8		4	9	
			2			1		6
		4			6	3	2	
	6	2	7			5		
9		8			4			
	5	1		2	9	6	7	

291

	7						5	
1				5				2
			1		8			
		9		6		1		
	5		8		3		7	
		2		9		8		
			2		5			
3				4				8
	6						3	

292

			1					9
			9					4
		1			2		3	
		5			8		7	
		6				8		
	7		6			1		
	9		7			6		
4				8				
3				4				

293

			9	8	2	5		
					1	9		
4	6							
5	7							3
6								2
8							7	4
							2	5
		5	7					
		4	1	3	5			

294

4		6			2			5
						1		
2			5		9		6	
		7				5		9
				3				
8		4				6		
	2		3		7			8
		1						
5			4			3		1

	3		5		8		6	
9								3
		4			2	9		
7		8						9
				5				
3						1		7
		3	2			6		
4								8
	2		7		1		5	

295

			7					
		2		3	9	7		
8	3						6	1
	9			1				2
	1						5	
4				5			9	
7	6						3	4
		3	6	7		5		
				2				

296

297

				2	4	6		
						9		
5	8		1					
9			8		5	2		
8				1				4
		3	7		2			8
					9		5	3
		9						
		1	4	7				

298

7				6				
	2				5	8	3	
		5			4		1	
						7	9	
4								2
	6	3						
	5		1			4		
	1	4	8				2	
			4					8

299

6			3					7
	1	7				2	8	
				5	7			
		3						9
		2		8		1		
8						7		
			9	4				
	5	1				9	6	
4					3			8

300

6	4	8						1
		3						2
				4			5	9
			6		5			
		5		3		6		
			7		9			
1	5			2				
3						1		
8						7	4	3

301

7		1			2	9		3
8				6				4
			7					
2						5		
	5			3			7	
		4						6
				4				
3				7				9
9		7	1			2		8

302

	9	4			2	8		
								5
5					1			3
3		6	1		7			
				5				
			6		8	3		9
1			9					4
6								
		8	7			6	1	

303

7				9	2		6	5
9			3			7		
	8							
3							7	
5				6				8
	7							1
							9	
		1			3			2
8	4		2	1				3

304

	5			9				1
8		4	5		3			
	7							
	9				4		5	
2				6				3
	3		7				9	
							3	
			2		8	1		9
6				5			7	

305

					3	7		
		3	2					
5		9		1		4	8	
8							5	
		4				3		
	7							9
	4	5		3		1		6
					6	8		
		2	5					

306

						6	8	
3	6	9		2	1		4	
8							2	
	4		6		3			
	7						5	
			2		4		7	
	3							4
	1		3	4		7	9	2
	8	7						

1			2		3			4
		5				1		
	2		9		5		6	
6		7				9		3
4		3				7		2
	3		8		1		9	
		1				5		
9			5		4			1

307

		3						
			8	5			2	6
		1		2		5		
		9			4		5	1
				6				
5	8		1			9		
		6		4		3		
1	9			7	2			
						8		

308

309

7								5
	8						9	
		4	2	1	7	6		
	3						4	
			3		5			
	9						1	
		7	8	9	4	1		
	1						8	
6								3

310

7								8
		3	7		9	2		
	4		8		5		1	
	1	8				9	4	
	7	2				5	3	
	9		6		8		5	
		6	3		4	1		
4								3

2								7
	8		5		6		2	
4								8
	1			7			4	
			9	1	8			
	9			2			3	
9								3
	4		2		1		7	
6								1

311

7			9		2	6	4	
							5	
				1				3
3		2			7	4		
				6				
		1	5			8		9
5				7				
	7							
	3	6	8		4			1

312

313

	3	7		4			5	
9					8			3
					5			6
	9	1						
8				3				4
						5	9	
4			6					
3			9					7
	2			7		8	1	

314

		1					3	
				3	2			7
6	9				5			
	6			5			2	
			6	2	9			
	4			7			8	
			2				5	1
3			9	6				
	7					3		

315

5				7			1	
			2	8				
3						9		
2	3	1			6		7	
				2				
	5		8			4	2	9
		9						7
				1	4			
	8			5				4

316

							5	3
	7	8	3	9				6
	9		1					
	6	5						
	4						3	
						8	1	
				4			7	
7				8	5	3	9	
2	8							

317

2					8			1
			2	1	5			
		6				2		
7	3						4	
	8						5	
	6						9	8
		5				7		
			4	6	7			
8			3					4

318

6								5
	3		6	7			1	
7					8			3
		5					8	
	7			3			4	
	1					6		
5			9					8
	2			6	4		7	
8								6

319

		5	3		7	1		
	6	8				9	4	
	4		1		2		8	
				9				
	7		6		8		5	
	8	3				2	9	
		1	7		5	3		

320

			5	2	9			
3	8						2	6
7	5						8	1
			3	4	8			
6	4						3	9
9	2						1	5
			7	8	5			

321

		1	2			5		
	7			6			8	
9					1			7
		5						1
	8			9			2	
7						9		
2			9					8
	6			2			7	
		4			3	6		

322

	3	7	6					
				4		9		5
	6							2
								8
	1		4	5	8		2	
5								
7							9	
6		2		1				
					9	7	1	

323

1	2						9	4
9			5		3			6
	4		9		7		5	
				5				
	7		2		4		8	
8			3		1			9
2	5						7	1

324

		5		8		7		
	1		9				4	
4		3				1		2
							1	
1				9				5
	4							
7		2				8		9
	9				2		3	
		1		5		4		

325

				3			9	
6		8	2			5		
	2			1			7	
							1	
5		9		2		6		7
	1							
	9			7			6	
		7			4	8		5
	3			8				

326

	2						4	
7			2		3			9
		1				8		
	9	7	5		8	2	6	
	6	5	4		9	1	3	
		8				5		
4			9		1			2
	1						8	

327

5					6			3
			2			4		
	7	1	9			2		
6						1	3	
				2				
	4	9						2
		4			8	9	2	
		7			3			
1			6					8

328

					2			
	6	4				5	3	
3			9					1
9			8		5	7		
				7				
		2	4		9			6
4					3			8
	7	6				9	1	
			7					

329

		5	3					
		9	6					
		7				4	2	
	9		1			3	5	
		8				1		
	5	1			8		4	
	6	4				9		
					1	7		
					4	6		

330

			9		1			
	6	1		3		5	4	
	3						1	
2								5
	8						3	
1								7
	2						8	
	4	8		5		6	9	
			7		3			

331

6			4			3		5
			8		5			
1								
	6		2				8	4
9	3				4		2	
								1
			6		3			
4		1			7			8

332

	6		1					
1				9				
				6		9		4
3		5	7					8
				1				
6					2	1		7
2		4	5					
			8					6
				3		9		

333

		3	9					
	9		4				3	
		7				8		5
			8	7	4		2	6
5	2		1	3	9			
2		8				6		
	7				3		5	
				8	1			

334

			3	2		9	6	
6			9			4		
4	9							
							5	8
2				4				1
8	6							
							8	3
		8			1			6
	5	9		7	8			

2				1				8
	6		2					
		8					3	6
1				2	9	5		
				4				
		9	5	6				7
5	8					6		
					3		9	
3				7				1

335

	2		7			3		
6					5			
		3	8					4
8		5	4				6	
				3				
	9				6	1		7
2					1	8		
			6					1
		6			4		5	

336

337

		9	3	2	1			
						5		
	3							9
5			2	6	3			8
9								5
8			5	4	9			2
6							1	
		8						
			8	9	5	7		

338

			8	7				4
		1				2		
	2		4				5	
7		8		9				
1			2		5			7
				1		5		3
	6				3		2	
		2				7		
5				2	8			

						9	1	
2				4		8		
7	4		3					
			9		7	6		
	3						7	
		9	2		4			
					1		6	5
		6		5				3
	8	4						

339

	2	4	3					
					9	4		8
	9							6
	3							1
				6				
7							3	
8							1	
4		7	6					
					4	2	8	

340

341

	6		5		9		7	
	5	7		8		6	2	
3								1
		1		9		5		
8								6
	8	4		5		9	1	
	7		2		3		8	

342

		8				9		
			2		7			
3			6		4			7
	6	2				5	8	
				6				
	5	1				4	7	
7			4		6			2
			3		8			
		3				1		

343

9	3				6	7		
		7	4	8				
6	7				3	2		
				5				
		8	7				5	1
				6	2	1		
		6	3				4	5

344

	1			9			2	
7				8				3
			4		3			
		8		4		5		
3	4		2		7		1	8
		6		3		4		
			5		9			
6				2				5
	3			1			7	

345

	7						5	
4				1	3			6
		1		8	4	9		
	5	8						
	1	4				5	6	
						7	9	
		7	9	3		6		
1			4	6				7
	8						2	

346

		5			4			
	7				2	6	4	
	2							8
8	6		3		1			
			8		7		9	6
9							2	
	4	3	5				1	
			1			9		

	8		7					9
	4			5				
	1					7		
					5	3		
1	2						6	4
		5	3					
		6					5	
				1			4	
9					6		2	

347

		6				4		
				2				
2		9	8		1	6		7
		3				9		
	8			7			5	
		1				2		
5		2	3		6	7		1
				9				
		7				8		

348

349

			4			7		
	1	9		2			8	
4				5			2	
								1
	8	5		3		6	4	
6								
	3			1				9
	7			8		3	1	
		1			6			

350

					7		6	
7	4						9	
		6		2	8	4		
1		4						
		5		4		2		
						1		6
		9	2	5		8		
	8						3	9
	6		9					

351

		7			4		1	
				1		3		8
8					3		6	
						2		7
	8			7			4	
4		5						
	1		8					4
3		8		2				
	6		5			9		

352

	2		6			1		
			1	9				6
4			7					
						2	8	5
	3						1	
6	8	9						
					1			3
1				7	6			
		5			2		7	

353

		5		2	1	4		
			9					
7		2				8		3
6							8	
8				5				4
	3							9
3		7				1		2
					3			
		8	2	7		5		

354

3				2	6			5
			8	5	1	6		
	4							
9	3						2	
6	5						1	9
	8						4	7
							6	
		3	7	1	4			
1			2	6				3

355

				9	4		1	
9		5				8		
	7						5	
4			7		8			
1								6
			4		3			2
	5						3	
		6				2		5
	8		2	3				

356

		2				3		
	7						9	
8			6		3			7
		1		7		6		
			9		6			
		3		5		9		
7			5		1			8
	1						2	
		9				1		

357

	6	1				5	4	
	4		2		1		8	
			6		9			
	8	2				9	1	
	1	6				8	7	
			7		3			
	2		5		8		6	
	7	9				1	5	

358

	4		2					
						1		6
5	8				7			4
			5			2	7	
	5			4			1	
	2	6			3			
7			9				6	5
9		5						
					5		8	

	9			7	1			
			4					7
		5		6		1		
3			5		2		6	
4		2				3		1
	8		1		3			9
		4		1		8		
8					4			
			9	3			1	

359

			7					
		9				8		
	4		8	6			5	
6		5			3			
		2				1		
			1			3		4
	8			4	5		9	
		3				7		
					9			

360

361

5		9	8				3	7
8	7						6	
								1
			9		3			4
				7				
9			6		4			
3								
	4						2	6
1	6				2	4		8

362

					1		7	
9						5		
	7		4	8				
2			7		8	3		
		6		5		8		
		4	1		3			6
				3	2		5	
		9						4
	8		6					

363

			6					
	1	9				3	7	
	7		3		5		2	
		6				1		
5				2				8
		4				7		
	4		1		8		3	
	6	3				9	8	
				4				

364

	4		1		7		5	
9								3
			3		6			
6		4				3		5
				4				
5		2				6		8
			5		3			
4								6
	2		4		1		8	

365

	5							
		8	9		3	7		5
	6			4			2	
	7			9			3	
		3				2		
	8			1			4	
	1			7			5	
2		4	8		6	9		
							6	

366

		1		6	9		8	
7							1	
	4				1			9
5		2						
8								7
						8		1
1			4				5	
		6						2
	9		7	5		3		

8			6		4			3
2				5				7
	7		9		5		3	
		2		1		5		
	9		7		8		4	
7				3				2
4			2		1			8

367

	8		4		2		9	
6				9				1
				5				
8								7
	4	5				6	2	
2								9
			6					
1				8				2
	5		3		7		4	

368

369

6		3				7		2
		1				6		
				4				
1		5	9		6	3		7
				2				
3		4	1		7	9		8
				9				
		7				4		
5		6				1		9

370

		6			1			4
2	5		7	9		8	6	
		7			8			5
1	2		6	7		9	3	
		1			6			3
7	9		2	3		1	4	

371

	2		8					7
			4			5		
1	6						3	
	4		5	7				
		7		1		8		
				3	9		5	
	7						4	8
		1			5			
9					6		2	

372

				4	8	6		
		1		3				
2							4	
4								
6	8		1		2		5	3
								7
	1							9
				2		8		
		7	4	6				

373

7		6				9		
				1		4		
4					2		5	1
			5			8		
	5			4			3	
		9			3			
1	8		3					4
		2		7				
		3				6		5

374

				8			9	
3		9						
		8	6	7		5	1	
						1		
8		5				3		4
		2						
	5	4		1	3	8		
						6		7
	7			9				

		9	8	3	1	5		
						6		8
						1		7
			4				8	2
				5				
2	1				9			
7		6						
9		4						
		5	7	8	3	4		

375

		8		3		6		
	9		8				7	
3								5
			7		2		5	
2								7
	1		5		9			
6								8
	5				6		3	
		3		9		2		

376

377

		2		3		6		
			7	2	1			
3								8
	6						1	
5	9						4	7
	8						9	
7								5
			8	5	2			
		8		7		4		

378

	1				9		2	
8				7				3
			5		3			
6		4				9		
	3						5	
		5				1		7
			3		7			
9				8				2
	2		9				4	

379

	8						5	
5	6	2		4		1	9	3
			1					
			4		1			
	1	4				3	7	
			9		6			
				2				
6	7	5		8		2	1	9
	9						4	

380

		3		6		8		
	6		9				5	
8					7			9
		4		5			8	
6				9				4
	1			7		3		
1			3					6
	5				1		2	
		2		8		5		

381

3	2						8	1
			1		6			
		8	3		5	9		
4	7		2		1		3	6
		6	4		7	5		
			5		4			
8	9						7	5

382

2			9			1		
				4	5		7	
		6						2
5							4	
	4			7			3	
	9							8
9						5		
	7		6	1				
		8			7			3

	2	5					4	
9			2					1
				7				8
			1				8	
		7		2		5		
	4				6			
8				5				
1					9			5
	3					7	1	

383

			1			6		
			8			2		
3	8	7	9			1		
				1		7	6	8
				7				
4	7	9		6				
		3			1	9	5	7
		6			2			
		5			4			

384

385

			7	3	4			
5				1				4
8								3
1			3		2			6
2	5						4	8
7			8		1			9
4								5
3				8				7
			2	9	5			

386

8			6		3			4
			5	7	2			
				9				
1	5						9	8
	8	9				1	3	
2	4						6	5
				6				
			1	3	7			
3			2		5			6

387

7				9			8	
					5		3	
						5		4
9				2				
		5	3		1	6		
			7					1
2		6						
	1		6					
	9			7				8

388

7			6		9			5
			2		3			
		5				6		
9	1						7	4
				6				
4	7						6	3
		3				2		
			7		5			
8			9		4			6

389

			8	6		1	4	
4								
7		8	2			9		
						6		1
2				1				5
3		4						
		7			9	8		4
								7
	4	9		7	3			

390

		9			2	8		
			1		5	3		
3	2							7
8	7			6			9	
			8		1			
	6			5			2	8
2							8	6
		6	7		9			
		7	2			5		

		5	3	1	2	9		
6		2				4		5
	7						4	
3				7				8
	1						2	
2		1				6		7
		4	8	9	6	1		

391

		5						9
	7		4					
2					6	7		
	1			2	7	4		
			8	6	9			
		8	3	4			5	
		6	9					8
					8		9	
4						3		

392

393

1								6
			6		5			
8	6						7	9
	4		3		1		2	
	8		2		7		5	
6	5						8	3
			4		9			
9								4

394

	1		3	5			8	
		2	9			4		
				6		5	1	
	3			1			2	
	5	6		7				
		4			1	7		
	6			9	2		5	

395

		7	3					
	5						2	
			7	9				8
			4		5	9		3
		9		3		4		
3		2	9		7			
4				8	1			
	6						1	
					9	3		

396

		3		9		1		
				8				
2			4		3			9
		1				9		
9	8			1			3	5
		5				8		
4			8		7			2
				6				
		6		3		4		

397

			2					
	7					8	3	
	3			4	1			
		8						1
		6		7		4		
1						9		
			5	3			7	
	2	5					6	
					4			

398

			2		5			
		9	6		4	3		
2								1
3	5						7	9
				7				
6	9						5	2
7								6
		8	9		3	4		
			4		7			

399

		1		3	8			7
	2					8		
5				6			2	
								9
2		9		5		6		3
8								
	7			8				4
		3					7	
4			5	1		9		

400

	3						1	
		7	3	8	5	2		
	6		9		3		5	
			5	4	8			
	4		7		6		9	
		8	2	9	7	4		
	1						3	

401

	5						1	
1			3		8			4
			2		6			
	4	9				8	5	
				9				
	7	2				1	9	
			7		9			
2			1		4			7
	6						3	

402

	6		8		3			
				6		9		
	5						2	
			2			3		5
	8	2		3		6	7	
6		1			4			
	2						4	
		7		2				
			9		5		8	

	4							
		8			9			1
		1	7		4	5	3	
	8	2				6		
				7				
		3				4	2	
	5	7	6		1	9		
6			3			2		
							1	

403

		1					9	
			3			8		
	3				7			
		9		3			1	
4			5		6			8
	5			7		3		
			2				6	
		8			9			
	1					7		

404

405

						9		3
		6	1				2	
	7			8				6
	5		9		4			
		2				8		
			8		3		4	
6				1			3	
	9				8	7		
2		8						

406

	4	9						
		2		7				1
					5		2	7
		3		1				
	2		5		7		6	
				2		8		
5	9		4					
3				8		2		
						3	1	

		6	3		7	8		
	4						1	
8								2
5				1				8
			9		3			
3				4				5
9								3
	7						2	
		4	8		6	7		

407

		1						
	6			4			3	
		8		3		1		4
			8		2			
	7	2		6		8	9	
			7		4			
8		9		2		3		
	1			5			7	
						2		

408

409

	9			7			4	
3		5	6		2	7		1
	2			1			6	
1		8	4		7	3		5
	5			4			3	
7		2	1		5	4		9

410

5				7				2
						3		
	7	1		3		6		
			9		8			
2		8		4		5		9
			7		6			
		6		1		4	3	
		4						
9				6				8

411

8		7	5		2	3		1
4		6				2		8
7				5				9
			7		4			
3				8				2
6		9				4		3
2		5	1		7	8		6

412

1	4						8	5
8								7
			5		1			
		1			4	5		
		2				6		
		8	3			9		
			8		7			
9								2
3	5						9	1

413

3				5	8		6	7
1								
		5	3			2		
9						5		
8				1				9
		2						8
		4			2	7		
								5
6	9		8	3				1

414

	1	9	2	3	7			
2					5		1	
7								
1			7				9	4
8								3
5	9				1			8
								7
	4		5					1
			9	1	6	2	4	

3			9		7	2		4
	6			1			5	
9								
6								5
	2			9			4	
8								9
								8
	4			6			3	
7		5	8		3			2

415

4								5
		1	6			2		
	3		2				9	
			9		5	3	6	
				7				
	6	7	4		2			
	8				9		3	
		4			7	6		
1								2

416

417

	3							
			8		1	3		9
	8	4	7			1		
	7					6	3	
			2		8			
	4	1					2	
		2			5	7	6	
8		7	6		9			
							9	

418

4		3	1			2		5
5				9				3
			6		1			9
		8		2		6		
2			4		5			
9				3				4
3		5			2	7		1

419

		5						2
		7	6					
		1	2				9	4
		9			1			
		6	9		5	7		
			4			8		
1	6				7	9		
					8	3		
9						2		

420

	2	1	9					
					3	6		8
	8							2
	6		1		9			7
				8				
8			3		7		6	
7							1	
3		8	4					
					1	2	4	

421

	2	7						
	4			8	9		6	2
					4			1
	5	8		1				
	9						4	
				6		2	8	
3			5					
8	6		3	2			9	
						8	2	

422

	5	4				7		
						4		6
2	3			1				9
			9		4			
		7		5		1		
			6		1			
1				2			8	7
9		8						
		2				3	6	

423

			8	9				3
	8					5		
		2			4		9	
						2		6
7				9				1
4		5						
	9		6			1		
		4					2	
1			3	5				

424

		3			7		5	
		6						2
7	1		8					
		7			3			5
				8				
6			9			4		
					2		7	4
9						1		
	3		5			8		

425

3					1		8	
				6	4	3		9
		7					4	
							7	6
	6			4			2	
5	3							
	8					9		
1		2	4	7				
	7		1					4

426

		3				2		8
			3		5			
9			2					1
	7	4	6				1	
				3				
	5				1	3	7	
2				9				5
			5		2			
8		5				7		

3		9	6			7		8
8			5					6
				8				
			1		8		7	5
		2				1		
1	3		9		4			
				5				
9					1			4
2		3			7	8		1

427

			4		2			
		7	9		5	4		
	3						6	
1	7						5	8
				1				
6	8						4	9
	6						7	
		4	7		6	2		
			8		9			

428

429

		1			3			2
	8	5			4			
				6				9
1	7		3					
	2			4			7	
					2		3	6
8				7				
			1			8	9	
4			6			7		

430

4						2		
				8				
1	8				3			5
	6		4	1			2	
2								7
	5			7	6		3	
9			1				7	8
				3				
		2						3

		8	5					
					2	5		4
4	7							
			9	6		3	4	
	8	1		2	4			
							2	1
6		3	7					
					9	7		

431

5								2
	9	6	5	8			3	
							1	
			4				2	
	4		8	2	1		6	
	6			9				
	3							
	2			1	8	5	7	
9								8

432

433

			8		7			
3		5				1		9
	7						6	
			5		2			
		4		7		6		
			3		9			
	3						2	
1		7				4		5
			4		6			

434

	6			7			3	
2								1
			3	1	4			
		8				7		
6		1		5		4		8
		7				3		
			7	4	2			
9								6
	1			8			4	

435

	7							
			4				7	3
		9				4		
3		2		9		6		
	4		1		6		5	
		6		3		8		4
		8				7		
9	1				3			
							8	

436

9		6		1	3	4		
					4		5	
			6					2
		4						
5				7				8
						3		
8					5			
	3		9					
		1	3	8		2		6

437

2		9				7		6
6			4		5			8
		2	9		8	4		
				1				
		7	5		2	6		
5			6		1			3
1		8				2		7

438

	4					8		
				7			1	6
6		3		2				
					6	9		
9								7
		5	3					
				4		6		8
5	7			9				
		9					3	

	6	5			2			
	2	7					8	3
				4	7		6	1
8		1						
		2				9		
						7		5
3	5		2	6				
2	4					6	3	
			3			8	5	

439

8			1		9			3
		4		6		1		
	5						2	
9								6
	4			5			3	
7								4
	6						4	
		2		7		9		
3			5		8			1

440

441

8								4
			2		7			
		2	3		1	5		
	8	5				7	1	
	6	4				8	2	
		9	4		2	1		
			6		8			
7								9

442

	1						3	
9			4		5			1
		6		2		9		
	4						1	
		7		4		2		
	2						6	
		3		1		6		
6			9		2			5
	5						8	

443

	7	3						2
				1	9			8
								5
					5	8		
		8	6		4	1		
		4	9					
8								
1			3	7				
5						6	9	

444

	7		5		3		1	
5	1						9	6
				6				
4								2
		1				5		
6								1
				2				
3	2						7	4
	9		4		7		6	

445

7								4
			3	7				
	9	1		4		7	5	
			7		6		2	
	7	9				1	8	
	6		1		8			
	4	3		1		2	9	
				3	5			
9								3

446

8					1			
			5	4		7		
					6	8	2	
	6					4		5
	8						1	
5		2					8	
	3	1	7					
		9		3	2			
			9					4

447

	4	3						
			6		2	3		8
	6				1			7
	3	8					1	
				6				
	5					7	8	
1			9				5	
4		2	8		5			
						1	9	

448

	2						1	
3			1					5
6	9						3	4
			6		7		5	
				3				
	1		8		9			
5	6						2	3
7					3			6
	8						9	

449

5	4							
		8	9					
				7	2	3		
		4	6					
2	7						1	4
					7	2		
		5	3	4				
					1	7		
							8	5

450

				1				
	7						4	
	3		7		9		2	
		7	8		1	9		
1				2				6
		4	3		6	5		
	6		4		2		9	
	8						7	
				9				

451

		4		1			5	
7			4			3		
	6				3			8
		6					1	
2				4				7
	5					2		
8			7				3	
		9			8			5
	2			3		4		

452

4		1				8		3
			4		2			
		2				9		
			1		6			
5		7				4		9
			5		7			
		4				6		
			7		5			
6		9				5		8

1

2	3	6	8	7	4	1	5	9
1	7	9	6	5	2	4	8	3
5	8	4	9	1	3	7	2	6
4	1	8	7	3	5	6	9	2
3	6	2	4	8	9	5	7	1
9	5	7	2	6	1	3	4	8
8	4	1	5	9	6	2	3	7
6	9	5	3	2	7	8	1	4
7	2	3	1	4	8	9	6	5

2

8	6	9	7	2	3	4	1	5
1	3	2	6	4	5	7	8	9
7	5	4	9	8	1	2	3	6
9	7	8	5	3	2	1	6	4
6	2	3	1	9	4	8	5	7
4	1	5	8	7	6	9	2	3
2	9	7	3	5	8	6	4	1
5	8	6	4	1	7	3	9	2
3	4	1	2	6	9	5	7	8

3

7	6	5	8	4	2	9	3	1
9	4	3	7	1	5	2	8	6
8	1	2	9	6	3	4	5	7
4	8	9	6	2	7	5	1	3
6	5	1	3	9	4	7	2	8
2	3	7	1	5	8	6	9	4
3	9	6	2	7	1	8	4	5
1	2	4	5	8	6	3	7	9
5	7	8	4	3	9	1	6	2

4

3	4	5	9	2	6	8	7	1
2	6	1	8	4	7	3	5	9
8	9	7	1	3	5	6	4	2
5	2	3	4	6	1	7	9	8
9	7	8	3	5	2	1	6	4
4	1	6	7	9	8	2	3	5
6	8	9	2	7	4	5	1	3
1	5	4	6	8	3	9	2	7
7	3	2	5	1	9	4	8	6

5

8	5	3	1	2	9	6	7	4
9	1	4	6	3	7	2	5	8
2	7	6	4	5	8	3	1	9
1	3	9	5	7	6	8	4	2
5	6	2	3	8	4	7	9	1
4	8	7	9	1	2	5	6	3
7	2	5	8	9	1	4	3	6
3	4	1	2	6	5	9	8	7
6	9	8	7	4	3	1	2	5

6

9	5	2	6	8	7	3	1	4
6	4	3	1	2	9	7	5	8
8	1	7	4	5	3	9	6	2
5	9	4	2	1	6	8	7	3
7	3	8	5	9	4	6	2	1
2	6	1	3	7	8	5	4	9
4	7	5	8	3	2	1	9	6
3	2	9	7	6	1	4	8	5
1	8	6	9	4	5	2	3	7

7

3	2	7	1	5	6	8	4	9
1	5	4	9	2	8	3	6	7
8	9	6	4	7	3	5	2	1
6	8	3	2	9	1	4	7	5
5	4	1	3	6	7	2	9	8
2	7	9	5	8	4	6	1	3
7	1	5	8	4	2	9	3	6
4	3	8	6	1	9	7	5	2
9	6	2	7	3	5	1	8	4

8

6	3	9	2	5	8	7	4	1
5	1	2	7	3	4	9	6	8
4	8	7	6	9	1	3	5	2
8	2	4	9	1	3	5	7	6
7	9	5	8	4	6	1	2	3
3	6	1	5	7	2	4	8	9
2	5	3	4	6	9	8	1	7
1	7	6	3	8	5	2	9	4
9	4	8	1	2	7	6	3	5

9

3	4	6	8	1	7	9	2	5
2	9	1	5	4	3	6	8	7
8	7	5	9	6	2	3	1	4
1	8	3	2	5	4	7	9	6
7	6	4	1	3	9	8	5	2
9	5	2	6	7	8	4	3	1
4	3	8	7	2	1	5	6	9
5	2	9	4	8	6	1	7	3
6	1	7	3	9	5	2	4	8

10

2	8	7	3	4	5	1	6	9
9	5	3	6	1	8	2	7	4
4	6	1	2	9	7	8	5	3
5	4	2	9	8	6	7	3	1
1	7	8	5	3	2	9	4	6
3	9	6	1	7	4	5	8	2
7	2	4	8	6	1	3	9	5
8	3	5	4	2	9	6	1	7
6	1	9	7	5	3	4	2	8

11

1	2	5	6	3	8	9	4	7
8	9	6	5	7	4	3	1	2
3	7	4	2	9	1	6	5	8
7	8	9	1	5	3	4	2	6
4	5	2	9	6	7	8	3	1
6	1	3	8	4	2	5	7	9
9	4	1	7	8	5	2	6	3
5	6	7	3	2	9	1	8	4
2	3	8	4	1	6	7	9	5

12

6	7	5	3	9	4	2	8	1
3	1	2	7	6	8	4	5	9
8	9	4	5	1	2	7	3	6
9	3	8	4	2	6	5	1	7
2	6	1	8	7	5	3	9	4
4	5	7	1	3	9	8	6	2
5	8	6	9	4	7	1	2	3
1	4	9	2	8	3	6	7	5
7	2	3	6	5	1	9	4	8

13

6	8	1	4	9	2	3	5	7
2	4	3	7	6	5	1	8	9
7	5	9	3	8	1	2	6	4
3	2	8	1	5	7	4	9	6
4	9	7	2	3	6	8	1	5
5	1	6	9	4	8	7	3	2
1	6	4	5	2	3	9	7	8
8	3	2	6	7	9	5	4	1
9	7	5	8	1	4	6	2	3

14

7	3	9	8	1	6	5	4	2
4	1	8	5	2	9	7	6	3
6	5	2	4	3	7	1	9	8
2	6	7	1	4	8	3	5	9
3	8	5	9	7	2	6	1	4
1	9	4	6	5	3	2	8	7
8	7	6	2	9	5	4	3	1
5	2	1	3	8	4	9	7	6
9	4	3	7	6	1	8	2	5

15

4	1	3	7	2	5	9	8	6
5	2	6	9	3	8	4	1	7
8	9	7	1	4	6	2	5	3
6	4	1	3	5	7	8	9	2
3	8	9	2	6	1	7	4	5
2	7	5	8	9	4	3	6	1
9	6	2	4	1	3	5	7	8
7	5	4	6	8	2	1	3	9
1	3	8	5	7	9	6	2	4

16

1	5	7	2	8	9	6	3	4
4	6	9	5	7	3	1	2	8
8	3	2	6	4	1	7	9	5
6	2	1	8	5	7	3	4	9
7	9	3	4	1	2	5	8	6
5	4	8	9	3	6	2	7	1
3	7	6	1	9	8	4	5	2
2	8	5	3	6	4	9	1	7
9	1	4	7	2	5	8	6	3

17

2	3	6	1	7	8	5	4	9
5	7	1	9	3	4	8	2	6
8	4	9	2	6	5	3	7	1
4	5	2	3	9	6	1	8	7
1	6	3	8	5	7	2	9	4
7	9	8	4	1	2	6	3	5
6	2	5	7	4	3	9	1	8
9	8	7	5	2	1	4	6	3
3	1	4	6	8	9	7	5	2

18

2	3	6	1	7	9	8	5	4
8	7	1	5	4	3	6	9	2
5	9	4	8	2	6	1	7	3
9	8	2	4	6	5	3	1	7
1	4	3	7	9	8	5	2	6
7	6	5	2	3	1	4	8	9
3	2	8	9	1	4	7	6	5
6	5	7	3	8	2	9	4	1
4	1	9	6	5	7	2	3	8

19

6	8	3	2	4	7	9	1	5
9	7	1	3	5	6	8	4	2
4	2	5	9	8	1	7	6	3
1	3	9	6	7	5	4	2	8
8	6	7	4	1	2	3	5	9
2	5	4	8	3	9	6	7	1
5	9	6	7	2	3	1	8	4
7	4	2	1	9	8	5	3	6
3	1	8	5	6	4	2	9	7

20

5	9	1	8	4	3	2	6	7
2	6	8	7	1	9	3	4	5
7	4	3	5	6	2	8	1	9
6	8	5	2	9	4	7	3	1
4	3	2	1	8	7	5	9	6
1	7	9	6	3	5	4	8	2
9	2	4	3	7	1	6	5	8
8	1	7	4	5	6	9	2	3
3	5	6	9	2	8	1	7	4

21

3	8	7	6	9	5	1	4	2
9	2	6	4	1	7	3	8	5
4	5	1	8	2	3	7	9	6
8	7	9	3	4	2	5	6	1
5	3	4	1	7	6	9	2	8
6	1	2	9	5	8	4	3	7
1	6	5	2	3	9	8	7	4
2	4	3	7	8	1	6	5	9
7	9	8	5	6	4	2	1	3

22

1	2	6	7	3	9	4	8	5
7	5	9	8	2	4	6	3	1
3	4	8	6	5	1	9	2	7
4	3	5	9	6	2	1	7	8
6	8	1	4	7	3	5	9	2
9	7	2	1	8	5	3	6	4
2	9	4	3	1	8	7	5	6
5	6	3	2	4	7	8	1	9
8	1	7	5	9	6	2	4	3

23

6	8	4	9	5	7	3	2	1
7	3	5	1	2	4	6	8	9
9	1	2	6	8	3	5	7	4
1	9	3	5	7	6	2	4	8
5	7	8	4	3	2	1	9	6
2	4	6	8	9	1	7	5	3
4	6	9	2	1	5	8	3	7
8	5	7	3	6	9	4	1	2
3	2	1	7	4	8	9	6	5

24

3	2	7	4	6	1	8	5	9
5	8	4	7	9	3	1	6	2
1	6	9	5	8	2	3	7	4
8	3	6	9	2	7	4	1	5
9	7	5	1	3	4	2	8	6
4	1	2	6	5	8	7	9	3
2	9	8	3	1	6	5	4	7
6	4	1	2	7	5	9	3	8
7	5	3	8	4	9	6	2	1

25

3	6	8	2	7	5	1	9	4
7	9	5	4	3	1	6	2	8
4	2	1	8	9	6	3	7	5
5	7	9	6	8	4	2	3	1
2	1	4	7	5	3	8	6	9
8	3	6	1	2	9	5	4	7
6	5	2	9	1	7	4	8	3
9	8	3	5	4	2	7	1	6
1	4	7	3	6	8	9	5	2

26

6	7	4	3	5	9	8	1	2
8	5	3	2	1	6	9	7	4
1	2	9	4	7	8	5	6	3
9	8	2	7	6	1	4	3	5
4	1	6	5	2	3	7	9	8
5	3	7	8	9	4	1	2	6
7	4	8	1	3	2	6	5	9
3	9	1	6	8	5	2	4	7
2	6	5	9	4	7	3	8	1

27

9	1	6	7	2	3	8	4	5
2	4	5	8	6	9	1	3	7
7	8	3	5	1	4	6	2	9
6	5	8	9	4	2	3	7	1
3	7	4	1	5	8	9	6	2
1	9	2	3	7	6	4	5	8
4	3	1	2	8	7	5	9	6
5	2	9	6	3	1	7	8	4
8	6	7	4	9	5	2	1	3

28

5	2	6	7	1	8	9	4	3
8	3	7	5	4	9	2	6	1
4	9	1	6	3	2	7	5	8
6	8	9	4	2	5	1	3	7
2	1	5	3	9	7	6	8	4
3	7	4	1	8	6	5	2	9
7	4	2	8	6	1	3	9	5
9	5	8	2	7	3	4	1	6
1	6	3	9	5	4	8	7	2

29

8	7	3	5	1	4	9	6	2
4	6	9	3	2	7	8	1	5
5	2	1	9	6	8	4	3	7
6	1	2	8	4	3	5	7	9
7	3	4	1	5	9	2	8	6
9	5	8	2	7	6	1	4	3
2	9	6	7	8	1	3	5	4
3	8	7	4	9	5	6	2	1
1	4	5	6	3	2	7	9	8

30

6	9	1	7	4	5	8	2	3
4	8	7	2	3	1	5	9	6
5	3	2	6	8	9	1	7	4
1	2	4	9	6	3	7	8	5
9	7	3	5	2	8	6	4	1
8	6	5	4	1	7	2	3	9
2	5	9	1	7	4	3	6	8
3	1	6	8	9	2	4	5	7
7	4	8	3	5	6	9	1	2

31

1	7	4	3	9	6	8	2	5
3	8	6	1	5	2	9	7	4
9	2	5	8	4	7	6	1	3
7	5	9	2	3	1	4	8	6
8	4	1	6	7	5	2	3	9
2	6	3	4	8	9	7	5	1
5	3	7	9	2	4	1	6	8
4	1	8	7	6	3	5	9	2
6	9	2	5	1	8	3	4	7

32

3	6	4	7	5	9	2	8	1
2	5	1	6	8	3	7	9	4
9	8	7	2	1	4	3	5	6
8	1	6	3	9	2	4	7	5
4	9	5	1	6	7	8	2	3
7	3	2	8	4	5	6	1	9
6	7	9	4	2	1	5	3	8
5	4	3	9	7	8	1	6	2
1	2	8	5	3	6	9	4	7

33

9	2	8	3	1	4	6	5	7
6	1	7	2	8	5	3	4	9
3	4	5	7	9	6	2	8	1
8	5	9	4	3	7	1	2	6
2	6	1	8	5	9	4	7	3
7	3	4	6	2	1	8	9	5
4	9	3	1	7	8	5	6	2
5	8	2	9	6	3	7	1	4
1	7	6	5	4	2	9	3	8

34

6	7	5	2	1	4	3	9	8
4	8	2	9	3	6	5	1	7
9	1	3	5	8	7	2	4	6
7	4	8	3	2	5	9	6	1
2	3	9	4	6	1	8	7	5
5	6	1	7	9	8	4	2	3
1	9	4	8	7	3	6	5	2
3	5	6	1	4	2	7	8	9
8	2	7	6	5	9	1	3	4

35

1	9	2	8	5	3	6	7	4
3	6	4	7	9	1	5	8	2
8	7	5	2	6	4	3	1	9
6	2	1	4	3	5	7	9	8
7	5	8	9	2	6	4	3	1
4	3	9	1	8	7	2	5	6
2	1	7	5	4	9	8	6	3
9	4	3	6	7	8	1	2	5
5	8	6	3	1	2	9	4	7

36

3	4	5	9	8	7	6	1	2
7	2	8	6	1	4	3	5	9
1	9	6	2	3	5	4	7	8
5	1	2	8	9	3	7	4	6
9	6	4	7	5	2	1	8	3
8	7	3	1	4	6	2	9	5
4	3	1	5	6	8	9	2	7
6	5	7	4	2	9	8	3	1
2	8	9	3	7	1	5	6	4

37

2	1	9	8	7	3	4	6	5
4	5	3	9	6	2	1	8	7
8	6	7	1	5	4	2	9	3
6	7	2	4	3	5	9	1	8
5	9	4	7	8	1	6	3	2
1	3	8	2	9	6	5	7	4
3	4	1	6	2	8	7	5	9
7	2	5	3	1	9	8	4	6
9	8	6	5	4	7	3	2	1

38

4	8	6	5	7	9	3	2	1
3	1	7	8	2	6	9	4	5
5	9	2	3	1	4	7	6	8
1	4	5	6	8	3	2	9	7
2	7	9	1	4	5	8	3	6
8	6	3	2	9	7	1	5	4
7	3	8	4	6	2	5	1	9
6	2	1	9	5	8	4	7	3
9	5	4	7	3	1	6	8	2

39

4	8	7	3	9	2	5	1	6
1	6	3	4	5	8	9	7	2
5	9	2	1	6	7	3	8	4
2	7	9	6	1	5	4	3	8
3	4	1	7	8	9	2	6	5
8	5	6	2	3	4	7	9	1
9	1	8	5	2	3	6	4	7
6	2	4	9	7	1	8	5	3
7	3	5	8	4	6	1	2	9

40

8	2	9	4	7	3	6	1	5
5	7	1	8	6	2	9	3	4
6	3	4	5	1	9	7	8	2
7	8	2	9	4	6	3	5	1
3	9	5	7	8	1	2	4	6
4	1	6	2	3	5	8	9	7
1	6	8	3	2	4	5	7	9
9	4	7	6	5	8	1	2	3
2	5	3	1	9	7	4	6	8

41

3	1	2	4	6	5	9	7	8
5	4	7	3	8	9	6	2	1
8	9	6	1	7	2	4	5	3
4	8	5	9	3	7	2	1	6
7	6	9	2	4	1	3	8	5
1	2	3	6	5	8	7	9	4
9	7	4	8	1	3	5	6	2
2	3	1	5	9	6	8	4	7
6	5	8	7	2	4	1	3	9

42

9	5	8	7	2	3	4	1	6
7	4	3	8	6	1	5	2	9
6	2	1	4	9	5	8	3	7
2	3	5	1	7	6	9	4	8
4	7	9	2	5	8	3	6	1
8	1	6	3	4	9	2	7	5
3	9	2	6	8	7	1	5	4
5	6	4	9	1	2	7	8	3
1	8	7	5	3	4	6	9	2

43

8	3	2	7	5	9	6	1	4
4	6	9	3	8	1	7	2	5
5	1	7	4	2	6	8	3	9
3	4	6	9	1	5	2	7	8
2	9	1	8	7	3	4	5	6
7	8	5	6	4	2	3	9	1
6	2	4	5	9	7	1	8	3
9	7	8	1	3	4	5	6	2
1	5	3	2	6	8	9	4	7

44

1	5	4	9	3	6	7	2	8
7	8	6	2	1	5	4	3	9
3	2	9	4	7	8	1	5	6
6	1	3	5	2	4	9	8	7
4	7	8	3	6	9	5	1	2
2	9	5	7	8	1	6	4	3
8	4	7	1	9	2	3	6	5
9	6	1	8	5	3	2	7	4
5	3	2	6	4	7	8	9	1

45

3	7	1	8	2	9	5	4	6
8	2	5	3	6	4	9	7	1
6	9	4	5	1	7	8	2	3
1	3	8	7	4	6	2	5	9
2	6	7	9	8	5	1	3	4
5	4	9	1	3	2	6	8	7
9	8	3	2	7	1	4	6	5
7	1	6	4	5	8	3	9	2
4	5	2	6	9	3	7	1	8

46

4	9	1	6	3	8	5	7	2
8	5	3	7	1	2	9	6	4
2	6	7	9	5	4	8	1	3
7	3	6	2	8	5	1	4	9
9	4	5	1	6	7	3	2	8
1	8	2	4	9	3	7	5	6
3	1	8	5	2	6	4	9	7
6	7	9	8	4	1	2	3	5
5	2	4	3	7	9	6	8	1

47

4	2	5	6	9	3	1	7	8
8	6	1	4	7	5	2	3	9
7	9	3	1	8	2	5	4	6
3	8	9	2	5	4	6	1	7
5	1	2	8	6	7	3	9	4
6	4	7	9	3	1	8	5	2
1	7	4	3	2	6	9	8	5
2	5	8	7	1	9	4	6	3
9	3	6	5	4	8	7	2	1

48

2	5	4	3	8	6	9	7	1
8	9	7	2	1	5	6	4	3
3	6	1	9	7	4	2	8	5
4	7	3	1	6	8	5	2	9
9	1	5	7	2	3	8	6	4
6	2	8	5	4	9	1	3	7
1	4	2	8	5	7	3	9	6
5	3	6	4	9	2	7	1	8
7	8	9	6	3	1	4	5	2

49

9	4	1	6	7	5	8	2	3
6	5	2	8	4	3	1	9	7
8	3	7	1	9	2	6	5	4
7	1	8	2	3	4	5	6	9
5	9	3	7	1	6	2	4	8
2	6	4	5	8	9	3	7	1
1	8	6	9	5	7	4	3	2
4	2	9	3	6	1	7	8	5
3	7	5	4	2	8	9	1	6

50

8	7	2	3	9	6	1	5	4
9	3	1	5	4	2	6	8	7
5	6	4	1	8	7	2	9	3
2	8	7	4	1	5	3	6	9
3	4	5	7	6	9	8	2	1
1	9	6	2	3	8	7	4	5
4	2	3	6	5	1	9	7	8
6	5	8	9	7	3	4	1	2
7	1	9	8	2	4	5	3	6

51

7	2	6	8	9	5	4	1	3
9	5	4	1	3	7	2	6	8
8	3	1	4	2	6	5	7	9
4	8	5	7	1	3	9	2	6
2	7	3	6	5	9	8	4	1
6	1	9	2	4	8	3	5	7
1	9	8	5	6	2	7	3	4
5	6	7	3	8	4	1	9	2
3	4	2	9	7	1	6	8	5

52

4	2	6	1	9	3	8	7	5
5	9	8	7	6	4	3	2	1
3	1	7	5	8	2	6	9	4
7	8	4	3	5	1	9	6	2
9	3	2	4	7	6	1	5	8
1	6	5	8	2	9	4	3	7
2	5	1	6	3	8	7	4	9
6	4	9	2	1	7	5	8	3
8	7	3	9	4	5	2	1	6

53

4	6	3	9	5	1	7	8	2
5	1	9	7	2	8	6	4	3
2	7	8	6	4	3	5	9	1
8	4	7	5	1	2	9	3	6
3	5	1	4	9	6	2	7	8
9	2	6	3	8	7	4	1	5
1	8	5	2	7	9	3	6	4
6	9	4	8	3	5	1	2	7
7	3	2	1	6	4	8	5	9

54

9	6	2	7	3	5	1	8	4
1	7	3	4	8	9	2	5	6
8	5	4	2	6	1	9	3	7
4	1	5	3	7	2	6	9	8
6	3	9	8	1	4	7	2	5
7	2	8	5	9	6	3	4	1
3	4	6	9	5	7	8	1	2
5	8	7	1	2	3	4	6	9
2	9	1	6	4	8	5	7	3

55

6	3	4	1	9	2	8	7	5
7	9	2	3	8	5	6	1	4
5	1	8	7	6	4	9	2	3
1	2	7	5	3	9	4	8	6
8	4	5	2	7	6	1	3	9
9	6	3	8	4	1	2	5	7
4	5	1	9	2	7	3	6	8
3	7	9	6	1	8	5	4	2
2	8	6	4	5	3	7	9	1

56

3	2	1	8	4	5	6	9	7
8	5	9	2	6	7	3	1	4
4	7	6	1	3	9	2	8	5
2	3	4	5	9	1	8	7	6
6	8	5	3	7	2	1	4	9
1	9	7	6	8	4	5	2	3
5	4	8	9	2	6	7	3	1
7	6	2	4	1	3	9	5	8
9	1	3	7	5	8	4	6	2

57

5	8	9	2	6	1	7	4	3
1	3	6	4	7	5	8	9	2
2	7	4	9	3	8	5	6	1
4	9	1	7	5	6	2	3	8
7	5	3	8	4	2	9	1	6
8	6	2	3	1	9	4	5	7
9	1	7	5	2	3	6	8	4
6	4	8	1	9	7	3	2	5
3	2	5	6	8	4	1	7	9

58

4	1	2	6	8	3	9	7	5
6	9	5	7	4	2	8	3	1
3	8	7	1	5	9	4	2	6
1	7	9	8	2	5	6	4	3
8	5	3	4	1	6	2	9	7
2	4	6	3	9	7	5	1	8
7	2	4	5	3	8	1	6	9
5	3	1	9	6	4	7	8	2
9	6	8	2	7	1	3	5	4

59

5	1	7	9	4	2	8	3	6
3	9	2	6	5	8	7	4	1
4	8	6	1	7	3	5	9	2
7	3	9	2	6	1	4	5	8
8	6	4	3	9	5	1	2	7
2	5	1	7	8	4	3	6	9
6	4	5	8	1	9	2	7	3
1	7	3	5	2	6	9	8	4
9	2	8	4	3	7	6	1	5

60

2	9	6	5	3	4	1	7	8
5	8	3	1	7	9	4	6	2
4	7	1	6	2	8	3	9	5
8	2	5	3	9	6	7	1	4
9	3	7	8	4	1	2	5	6
6	1	4	7	5	2	8	3	9
7	4	9	2	1	5	6	8	3
1	5	8	4	6	3	9	2	7
3	6	2	9	8	7	5	4	1

61

7	1	4	2	5	8	9	6	3
5	9	3	1	4	6	8	7	2
8	6	2	9	7	3	4	5	1
4	2	5	3	6	9	1	8	7
9	7	8	5	1	2	3	4	6
1	3	6	7	8	4	5	2	9
3	8	7	6	9	5	2	1	4
2	4	1	8	3	7	6	9	5
6	5	9	4	2	1	7	3	8

62

1	8	6	7	3	4	9	2	5
5	3	7	9	1	2	8	4	6
2	4	9	8	5	6	3	1	7
7	5	2	3	9	1	4	6	8
4	1	3	6	7	8	2	5	9
9	6	8	4	2	5	1	7	3
8	9	5	1	4	7	6	3	2
6	2	1	5	8	3	7	9	4
3	7	4	2	6	9	5	8	1

63

5	8	6	1	7	3	2	9	4
1	2	3	8	4	9	6	7	5
9	7	4	2	5	6	8	1	3
7	6	1	5	9	4	3	8	2
4	5	8	3	1	2	9	6	7
3	9	2	6	8	7	5	4	1
8	3	9	4	2	1	7	5	6
2	4	7	9	6	5	1	3	8
6	1	5	7	3	8	4	2	9

64

5	6	4	7	9	8	2	1	3
8	9	2	6	3	1	4	7	5
1	3	7	4	2	5	8	9	6
3	8	5	2	7	9	6	4	1
2	4	1	8	6	3	9	5	7
6	7	9	5	1	4	3	2	8
9	1	6	3	5	2	7	8	4
4	2	3	1	8	7	5	6	9
7	5	8	9	4	6	1	3	2

65

6	7	3	4	2	9	8	1	5
1	8	4	7	5	6	2	3	9
9	5	2	3	8	1	6	7	4
8	4	6	2	1	3	9	5	7
7	9	1	5	4	8	3	2	6
3	2	5	6	9	7	4	8	1
5	3	9	8	7	4	1	6	2
4	6	7	1	3	2	5	9	8
2	1	8	9	6	5	7	4	3

66

6	8	4	5	7	2	3	9	1
3	5	9	1	4	6	8	7	2
7	1	2	9	8	3	4	6	5
8	4	1	2	6	7	9	5	3
9	3	6	4	5	1	2	8	7
5	2	7	8	3	9	1	4	6
2	9	5	7	1	4	6	3	8
1	6	8	3	9	5	7	2	4
4	7	3	6	2	8	5	1	9

67

8	9	1	3	6	2	7	4	5
3	4	7	1	9	5	8	6	2
2	5	6	7	4	8	3	9	1
5	2	3	4	7	1	6	8	9
6	8	4	5	2	9	1	3	7
1	7	9	8	3	6	2	5	4
7	1	5	9	8	3	4	2	6
4	3	2	6	5	7	9	1	8
9	6	8	2	1	4	5	7	3

68

4	8	7	9	6	3	1	2	5
1	9	6	5	8	2	4	3	7
5	3	2	4	1	7	8	6	9
7	4	9	6	2	5	3	1	8
2	5	1	3	9	8	6	7	4
3	6	8	1	7	4	5	9	2
8	7	3	2	4	1	9	5	6
6	1	4	7	5	9	2	8	3
9	2	5	8	3	6	7	4	1

69

9	4	6	8	3	5	7	2	1
8	3	5	7	2	1	6	4	9
1	2	7	4	9	6	3	8	5
7	1	4	2	6	8	9	5	3
3	9	8	1	5	7	4	6	2
6	5	2	9	4	3	8	1	7
4	6	3	5	1	9	2	7	8
5	7	9	6	8	2	1	3	4
2	8	1	3	7	4	5	9	6

70

8	6	5	9	1	7	2	3	4
2	4	1	6	8	3	9	5	7
7	9	3	4	5	2	8	1	6
9	3	7	8	2	1	4	6	5
6	5	4	3	7	9	1	2	8
1	2	8	5	6	4	7	9	3
5	1	9	7	3	8	6	4	2
3	7	2	1	4	6	5	8	9
4	8	6	2	9	5	3	7	1

71

8	4	5	1	9	7	2	6	3
7	6	9	5	3	2	8	4	1
3	1	2	4	8	6	7	9	5
6	9	7	2	4	3	5	1	8
5	8	3	6	1	9	4	2	7
1	2	4	7	5	8	6	3	9
2	5	1	3	7	4	9	8	6
4	7	8	9	6	1	3	5	2
9	3	6	8	2	5	1	7	4

72

9	3	8	6	4	7	1	5	2
7	4	5	1	9	2	3	8	6
2	1	6	3	5	8	7	4	9
5	2	1	9	8	3	6	7	4
6	9	4	7	1	5	8	2	3
8	7	3	4	2	6	5	9	1
4	8	7	2	3	1	9	6	5
3	5	9	8	6	4	2	1	7
1	6	2	5	7	9	4	3	8

73

7	5	8	9	1	3	2	6	4
6	1	9	7	2	4	8	3	5
2	4	3	6	8	5	9	1	7
8	6	5	1	4	7	3	9	2
9	2	7	3	5	6	4	8	1
4	3	1	8	9	2	5	7	6
3	8	4	2	6	1	7	5	9
5	7	6	4	3	9	1	2	8
1	9	2	5	7	8	6	4	3

74

6	9	4	1	7	3	2	8	5
7	3	5	9	2	8	6	1	4
8	1	2	4	6	5	9	7	3
9	6	8	2	5	4	1	3	7
1	5	7	3	8	9	4	2	6
2	4	3	6	1	7	8	5	9
5	7	9	8	4	2	3	6	1
3	2	6	5	9	1	7	4	8
4	8	1	7	3	6	5	9	2

75

2	8	1	3	4	9	5	7	6
9	3	5	6	7	8	2	4	1
7	6	4	2	1	5	3	9	8
1	7	9	8	5	6	4	3	2
8	2	6	7	3	4	9	1	5
4	5	3	9	2	1	6	8	7
5	9	2	1	8	3	7	6	4
3	4	8	5	6	7	1	2	9
6	1	7	4	9	2	8	5	3

76

9	6	3	1	5	8	4	2	7
8	2	7	9	4	6	1	3	5
5	4	1	2	3	7	6	9	8
3	7	5	4	2	9	8	6	1
6	8	9	5	7	1	2	4	3
4	1	2	8	6	3	7	5	9
1	3	6	7	9	4	5	8	2
7	5	4	3	8	2	9	1	6
2	9	8	6	1	5	3	7	4

77

3	9	7	8	5	4	2	6	1
8	2	5	6	9	1	7	4	3
4	1	6	2	3	7	5	9	8
6	7	3	5	1	9	4	8	2
5	8	2	3	4	6	9	1	7
1	4	9	7	8	2	6	3	5
2	5	8	9	6	3	1	7	4
7	6	1	4	2	8	3	5	9
9	3	4	1	7	5	8	2	6

78

3	1	6	8	4	2	5	9	7
4	8	7	5	9	3	2	6	1
5	2	9	1	6	7	4	8	3
1	6	4	3	5	8	7	2	9
8	7	3	9	2	1	6	5	4
9	5	2	4	7	6	1	3	8
6	3	1	2	8	4	9	7	5
7	9	8	6	1	5	3	4	2
2	4	5	7	3	9	8	1	6

79

3	9	2	1	8	5	4	6	7
8	4	1	6	7	9	2	5	3
7	5	6	3	4	2	1	8	9
4	3	7	5	9	6	8	1	2
6	2	5	7	1	8	9	3	4
1	8	9	2	3	4	6	7	5
2	7	3	4	6	1	5	9	8
5	1	8	9	2	3	7	4	6
9	6	4	8	5	7	3	2	1

80

1	6	2	5	7	8	3	4	9
5	8	4	9	1	3	7	6	2
3	7	9	2	6	4	8	1	5
6	2	1	8	3	7	9	5	4
7	4	3	1	9	5	6	2	8
8	9	5	4	2	6	1	7	3
4	1	7	3	5	9	2	8	6
2	3	8	6	4	1	5	9	7
9	5	6	7	8	2	4	3	1

81

2	8	6	5	7	3	9	1	4
4	9	7	6	1	8	5	2	3
1	5	3	4	2	9	7	6	8
6	2	8	3	5	7	1	4	9
3	4	9	2	8	1	6	5	7
7	1	5	9	4	6	8	3	2
8	7	4	1	3	5	2	9	6
9	3	1	8	6	2	4	7	5
5	6	2	7	9	4	3	8	1

82

5	4	2	8	1	7	9	6	3
1	8	6	3	9	5	2	4	7
9	3	7	6	2	4	5	8	1
4	7	9	5	8	2	3	1	6
2	1	3	9	4	6	7	5	8
6	5	8	1	7	3	4	9	2
3	2	1	4	5	8	6	7	9
8	6	5	7	3	9	1	2	4
7	9	4	2	6	1	8	3	5

83

5	8	4	9	3	6	1	7	2
7	9	3	1	2	8	5	4	6
6	1	2	4	7	5	8	3	9
8	6	1	3	5	9	7	2	4
4	7	9	2	8	1	3	6	5
2	3	5	7	6	4	9	8	1
9	4	7	6	1	3	2	5	8
1	2	8	5	4	7	6	9	3
3	5	6	8	9	2	4	1	7

84

7	8	6	5	2	9	1	3	4
1	9	4	3	6	7	2	5	8
3	5	2	8	4	1	6	9	7
5	4	8	1	7	6	9	2	3
6	2	1	9	8	3	7	4	5
9	7	3	2	5	4	8	6	1
8	6	7	4	9	5	3	1	2
4	1	9	7	3	2	5	8	6
2	3	5	6	1	8	4	7	9

85

9	5	7	4	1	3	2	8	6
3	4	1	6	8	2	9	5	7
2	6	8	5	9	7	4	3	1
5	3	6	2	4	1	7	9	8
4	1	9	7	3	8	6	2	5
8	7	2	9	5	6	1	4	3
6	9	4	3	7	5	8	1	2
7	8	3	1	2	9	5	6	4
1	2	5	8	6	4	3	7	9

86

1	7	2	3	6	9	5	8	4
9	6	4	8	7	5	3	1	2
5	8	3	4	1	2	7	6	9
6	5	1	2	8	3	9	4	7
3	4	8	1	9	7	2	5	6
2	9	7	6	5	4	1	3	8
7	1	5	9	4	8	6	2	3
4	3	6	7	2	1	8	9	5
8	2	9	5	3	6	4	7	1

87

6	7	3	8	1	4	5	9	2
5	8	4	2	9	6	7	1	3
9	1	2	5	7	3	6	8	4
1	3	8	9	5	7	2	4	6
4	5	6	1	3	2	9	7	8
7	2	9	6	4	8	3	5	1
2	6	7	4	8	5	1	3	9
3	4	1	7	2	9	8	6	5
8	9	5	3	6	1	4	2	7

88

7	6	5	2	4	1	9	8	3
1	9	8	5	3	7	4	6	2
3	4	2	9	8	6	1	7	5
5	1	9	8	2	3	6	4	7
6	8	4	7	1	5	2	3	9
2	3	7	4	6	9	8	5	1
9	7	6	1	5	8	3	2	4
4	5	3	6	9	2	7	1	8
8	2	1	3	7	4	5	9	6

89

2	3	7	4	1	5	6	9	8
4	5	6	2	8	9	1	7	3
1	8	9	3	7	6	4	5	2
3	6	1	9	5	2	8	4	7
7	2	5	8	6	4	9	3	1
9	4	8	1	3	7	2	6	5
8	7	3	6	4	1	5	2	9
5	9	4	7	2	8	3	1	6
6	1	2	5	9	3	7	8	4

90

6	2	3	4	1	8	5	7	9
1	4	7	9	2	5	3	6	8
9	5	8	3	6	7	2	4	1
2	6	5	1	7	9	8	3	4
4	7	9	8	3	2	6	1	5
8	3	1	6	5	4	7	9	2
3	9	2	5	4	6	1	8	7
7	1	4	2	8	3	9	5	6
5	8	6	7	9	1	4	2	3

91

6	5	9	2	4	1	3	8	7
7	1	4	9	3	8	5	6	2
8	3	2	7	5	6	1	9	4
3	7	1	4	9	5	8	2	6
4	9	8	6	2	3	7	1	5
5	2	6	1	8	7	4	3	9
9	6	3	8	7	4	2	5	1
1	4	5	3	6	2	9	7	8
2	8	7	5	1	9	6	4	3

92

6	3	2	4	9	7	1	8	5
8	4	1	3	6	5	7	9	2
7	5	9	2	8	1	4	3	6
1	8	3	6	7	9	2	5	4
4	7	5	8	2	3	6	1	9
9	2	6	5	1	4	3	7	8
5	6	4	7	3	8	9	2	1
2	9	7	1	5	6	8	4	3
3	1	8	9	4	2	5	6	7

93

7	3	6	4	8	1	2	5	9
5	1	8	2	6	9	7	3	4
2	4	9	3	7	5	1	6	8
3	6	1	7	9	4	5	8	2
4	7	5	6	2	8	3	9	1
8	9	2	1	5	3	4	7	6
9	5	7	8	1	2	6	4	3
1	8	3	5	4	6	9	2	7
6	2	4	9	3	7	8	1	5

94

6	7	2	9	4	5	1	3	8
8	1	5	3	7	6	9	4	2
3	9	4	1	2	8	5	7	6
1	8	9	7	5	2	4	6	3
2	5	7	4	6	3	8	9	1
4	3	6	8	1	9	7	2	5
5	2	8	6	9	7	3	1	4
9	4	3	2	8	1	6	5	7
7	6	1	5	3	4	2	8	9

95

8	7	5	6	4	1	3	2	9
3	2	9	5	8	7	6	4	1
6	4	1	9	3	2	8	7	5
2	6	4	3	5	8	9	1	7
7	9	8	1	2	4	5	6	3
5	1	3	7	9	6	2	8	4
1	3	7	2	6	5	4	9	8
9	8	2	4	7	3	1	5	6
4	5	6	8	1	9	7	3	2

96

5	3	1	9	8	4	6	2	7
6	7	8	3	5	2	4	9	1
4	2	9	1	6	7	8	5	3
9	6	3	2	4	5	1	7	8
8	4	5	7	1	9	2	3	6
2	1	7	6	3	8	5	4	9
1	5	2	8	7	3	9	6	4
7	8	4	5	9	6	3	1	2
3	9	6	4	2	1	7	8	5

97

9	8	4	1	6	5	3	2	7
3	1	2	4	7	8	6	9	5
6	5	7	2	3	9	1	8	4
7	6	9	3	5	2	8	4	1
8	2	1	9	4	6	7	5	3
5	4	3	7	8	1	2	6	9
1	9	8	5	2	7	4	3	6
2	3	5	6	1	4	9	7	8
4	7	6	8	9	3	5	1	2

98

3	2	1	8	4	7	9	6	5
9	4	6	3	5	2	7	1	8
5	8	7	6	9	1	2	3	4
2	7	9	4	1	8	3	5	6
1	5	3	9	7	6	4	8	2
4	6	8	2	3	5	1	7	9
8	3	2	1	6	9	5	4	7
6	1	5	7	2	4	8	9	3
7	9	4	5	8	3	6	2	1

99

7	9	8	2	3	5	1	6	4
2	4	6	9	1	8	5	7	3
1	5	3	7	6	4	9	8	2
4	3	1	6	8	9	2	5	7
9	6	2	3	5	7	8	4	1
8	7	5	4	2	1	3	9	6
6	1	9	8	7	3	4	2	5
3	8	7	5	4	2	6	1	9
5	2	4	1	9	6	7	3	8

100

5	2	4	7	9	1	6	8	3
1	9	8	4	6	3	7	5	2
3	7	6	2	8	5	9	1	4
8	6	2	3	5	9	4	7	1
9	5	1	8	4	7	3	2	6
7	4	3	1	2	6	8	9	5
6	3	9	5	7	2	1	4	8
2	8	7	6	1	4	5	3	9
4	1	5	9	3	8	2	6	7

101

1	7	6	3	8	4	2	9	5
8	5	3	9	6	2	4	7	1
9	2	4	7	1	5	6	3	8
5	3	2	4	9	1	8	6	7
6	9	8	5	3	7	1	4	2
4	1	7	8	2	6	9	5	3
2	4	1	6	7	3	5	8	9
7	6	9	2	5	8	3	1	4
3	8	5	1	4	9	7	2	6

102

6	1	5	8	7	9	3	4	2
3	7	8	1	2	4	5	6	9
2	4	9	5	3	6	8	7	1
8	5	4	2	9	3	7	1	6
7	9	3	6	8	1	2	5	4
1	2	6	4	5	7	9	3	8
4	3	7	9	1	2	6	8	5
9	8	1	7	6	5	4	2	3
5	6	2	3	4	8	1	9	7

103

4	8	9	5	7	2	1	6	3
6	1	5	4	9	3	8	7	2
2	3	7	6	1	8	5	9	4
8	2	1	9	4	7	3	5	6
5	9	3	1	8	6	4	2	7
7	4	6	2	3	5	9	1	8
1	7	4	8	6	9	2	3	5
3	5	8	7	2	1	6	4	9
9	6	2	3	5	4	7	8	1

104

9	2	3	6	7	5	4	8	1
6	8	4	3	9	1	7	2	5
1	5	7	8	4	2	9	6	3
8	4	9	5	3	7	2	1	6
7	6	5	1	2	4	3	9	8
3	1	2	9	6	8	5	7	4
4	7	6	2	1	3	8	5	9
5	3	1	7	8	9	6	4	2
2	9	8	4	5	6	1	3	7

105

1	9	2	8	7	3	5	4	6
4	3	8	6	9	5	7	1	2
6	7	5	2	1	4	3	9	8
5	6	1	9	4	8	2	7	3
7	4	3	5	6	2	9	8	1
8	2	9	7	3	1	4	6	5
2	8	4	1	5	7	6	3	9
9	5	7	3	8	6	1	2	4
3	1	6	4	2	9	8	5	7

106

3	5	8	9	4	2	1	7	6
7	6	9	1	3	8	2	4	5
4	2	1	5	7	6	3	8	9
5	1	7	6	2	3	8	9	4
6	8	3	4	9	5	7	1	2
9	4	2	8	1	7	6	5	3
8	7	4	3	6	9	5	2	1
1	3	5	2	8	4	9	6	7
2	9	6	7	5	1	4	3	8

107

7	6	5	2	4	9	3	8	1
1	9	8	7	5	3	2	6	4
2	4	3	8	6	1	7	5	9
4	3	7	6	9	8	1	2	5
6	5	2	1	3	7	9	4	8
9	8	1	5	2	4	6	3	7
3	2	4	9	7	5	8	1	6
8	7	6	4	1	2	5	9	3
5	1	9	3	8	6	4	7	2

108

6	3	2	5	1	8	4	9	7
5	7	9	2	6	4	3	8	1
8	1	4	9	7	3	6	5	2
2	4	1	8	3	9	5	7	6
9	6	5	1	4	7	2	3	8
7	8	3	6	5	2	1	4	9
3	9	7	4	2	6	8	1	5
1	2	8	3	9	5	7	6	4
4	5	6	7	8	1	9	2	3

109

2	6	7	4	3	9	1	5	8
1	4	5	2	8	6	7	3	9
3	9	8	5	7	1	2	4	6
8	5	9	7	6	4	3	2	1
4	2	3	9	1	5	6	8	7
7	1	6	3	2	8	5	9	4
6	7	2	8	4	3	9	1	5
9	3	4	1	5	7	8	6	2
5	8	1	6	9	2	4	7	3

110

3	4	8	6	7	5	1	9	2
2	1	6	3	9	8	7	5	4
7	5	9	2	1	4	8	3	6
5	8	4	7	2	9	6	1	3
1	7	3	8	5	6	2	4	9
9	6	2	1	4	3	5	8	7
4	9	7	5	6	1	3	2	8
8	2	1	4	3	7	9	6	5
6	3	5	9	8	2	4	7	1

111

9	1	6	2	8	3	4	5	7
5	2	4	9	6	7	1	3	8
3	8	7	4	5	1	9	6	2
2	7	5	3	4	8	6	9	1
1	6	9	5	7	2	8	4	3
4	3	8	6	1	9	7	2	5
6	4	1	8	2	5	3	7	9
7	5	3	1	9	4	2	8	6
8	9	2	7	3	6	5	1	4

112

4	8	9	7	6	3	1	2	5
3	1	6	9	2	5	8	7	4
2	7	5	4	8	1	9	6	3
1	3	8	5	7	2	4	9	6
5	6	4	8	1	9	7	3	2
9	2	7	6	3	4	5	8	1
7	4	3	2	5	8	6	1	9
6	9	1	3	4	7	2	5	8
8	5	2	1	9	6	3	4	7

113

9	3	7	4	2	1	6	8	5
6	1	8	5	9	7	3	4	2
4	5	2	6	3	8	7	9	1
8	7	9	1	6	3	5	2	4
2	4	3	8	7	5	9	1	6
5	6	1	2	4	9	8	7	3
3	8	4	7	5	2	1	6	9
1	9	6	3	8	4	2	5	7
7	2	5	9	1	6	4	3	8

114

7	3	2	8	4	5	1	6	9
8	1	6	3	7	9	4	5	2
4	9	5	6	1	2	8	7	3
5	6	1	7	9	8	3	2	4
2	4	8	1	5	3	7	9	6
9	7	3	4	2	6	5	8	1
1	8	7	2	6	4	9	3	5
3	2	9	5	8	1	6	4	7
6	5	4	9	3	7	2	1	8

115

7	1	6	5	3	9	2	8	4
3	2	8	4	1	6	5	7	9
4	5	9	7	2	8	1	6	3
8	3	2	1	6	7	9	4	5
6	4	1	9	5	3	8	2	7
9	7	5	2	8	4	6	3	1
2	8	4	3	9	1	7	5	6
5	9	3	6	7	2	4	1	8
1	6	7	8	4	5	3	9	2

116

1	8	4	6	3	9	2	5	7
2	5	3	7	8	1	9	6	4
9	7	6	4	5	2	8	3	1
3	2	5	1	4	8	7	9	6
6	9	8	3	7	5	4	1	2
7	4	1	9	2	6	5	8	3
8	3	2	5	1	4	6	7	9
4	6	7	8	9	3	1	2	5
5	1	9	2	6	7	3	4	8

117

9	4	7	1	2	3	8	5	6
3	1	6	8	4	5	7	9	2
2	8	5	9	6	7	4	3	1
7	6	4	3	1	8	5	2	9
5	9	3	2	7	6	1	8	4
1	2	8	4	5	9	6	7	3
4	7	1	5	9	2	3	6	8
8	5	2	6	3	4	9	1	7
6	3	9	7	8	1	2	4	5

118

2	1	5	7	4	6	9	3	8
8	6	3	9	1	5	2	7	4
7	9	4	2	8	3	1	5	6
6	5	7	4	9	2	3	8	1
9	3	1	6	5	8	4	2	7
4	2	8	1	3	7	5	6	9
5	7	9	3	6	1	8	4	2
1	8	6	5	2	4	7	9	3
3	4	2	8	7	9	6	1	5

119

2	9	7	8	6	1	4	5	3
5	8	3	9	4	2	6	7	1
6	1	4	3	5	7	2	8	9
7	4	8	1	9	5	3	6	2
3	2	1	6	7	8	5	9	4
9	5	6	4	2	3	8	1	7
8	7	9	2	3	6	1	4	5
4	6	2	5	1	9	7	3	8
1	3	5	7	8	4	9	2	6

120

1	4	2	5	3	8	9	7	6
5	8	6	9	7	1	4	3	2
9	7	3	6	2	4	1	5	8
4	2	9	3	1	6	7	8	5
3	1	8	7	4	5	2	6	9
6	5	7	2	8	9	3	4	1
8	3	4	1	5	2	6	9	7
2	9	5	4	6	7	8	1	3
7	6	1	8	9	3	5	2	4

121

2	3	9	8	5	4	1	6	7
1	4	5	7	6	3	8	2	9
6	7	8	1	9	2	4	5	3
8	9	2	5	3	1	6	7	4
3	1	6	9	4	7	2	8	5
4	5	7	2	8	6	3	9	1
5	6	4	3	7	8	9	1	2
9	8	1	4	2	5	7	3	6
7	2	3	6	1	9	5	4	8

122

8	2	1	7	3	9	6	5	4
3	6	9	4	8	5	2	7	1
5	4	7	2	1	6	8	3	9
9	3	4	5	7	8	1	6	2
1	7	8	6	2	3	4	9	5
2	5	6	9	4	1	3	8	7
6	9	2	3	5	4	7	1	8
4	8	5	1	6	7	9	2	3
7	1	3	8	9	2	5	4	6

123

9	6	2	7	1	4	5	8	3
1	3	7	8	5	9	6	4	2
8	5	4	3	6	2	1	7	9
6	4	8	9	7	5	3	2	1
3	2	9	6	8	1	7	5	4
5	7	1	2	4	3	8	9	6
2	1	3	5	9	8	4	6	7
7	9	5	4	3	6	2	1	8
4	8	6	1	2	7	9	3	5

124

1	3	5	6	2	8	4	9	7
6	9	7	1	4	3	8	5	2
8	2	4	7	9	5	1	3	6
7	5	3	2	8	1	6	4	9
4	1	9	5	6	7	3	2	8
2	6	8	4	3	9	7	1	5
5	8	6	3	1	2	9	7	4
9	7	1	8	5	4	2	6	3
3	4	2	9	7	6	5	8	1

125

5	6	4	9	1	3	8	7	2
8	1	9	2	7	4	3	6	5
7	2	3	5	8	6	1	4	9
6	9	8	1	4	5	2	3	7
2	4	1	3	9	7	5	8	6
3	7	5	8	6	2	9	1	4
4	8	2	6	5	1	7	9	3
1	5	6	7	3	9	4	2	8
9	3	7	4	2	8	6	5	1

126

8	7	3	1	4	6	5	9	2
6	4	2	9	8	5	7	1	3
1	5	9	3	2	7	6	4	8
7	2	5	8	3	9	1	6	4
3	1	6	5	7	4	8	2	9
4	9	8	2	6	1	3	7	5
5	6	7	4	9	8	2	3	1
2	8	4	7	1	3	9	5	6
9	3	1	6	5	2	4	8	7

127

2	8	6	7	9	3	1	5	4
1	9	7	4	5	8	3	6	2
3	4	5	1	6	2	9	8	7
7	1	9	3	4	6	5	2	8
6	5	4	8	2	9	7	1	3
8	3	2	5	7	1	6	4	9
4	7	8	6	3	5	2	9	1
5	2	1	9	8	7	4	3	6
9	6	3	2	1	4	8	7	5

128

1	9	5	3	7	4	6	2	8
8	7	2	9	1	6	4	5	3
4	6	3	5	2	8	9	7	1
2	4	7	8	3	1	5	9	6
6	5	8	4	9	7	1	3	2
3	1	9	6	5	2	8	4	7
7	2	6	1	4	5	3	8	9
5	3	1	7	8	9	2	6	4
9	8	4	2	6	3	7	1	5

129

5	2	9	8	4	3	1	7	6
1	6	8	7	2	5	4	9	3
4	7	3	1	6	9	8	5	2
2	9	4	6	5	8	3	1	7
3	8	7	4	1	2	9	6	5
6	1	5	3	9	7	2	8	4
8	4	2	9	7	6	5	3	1
7	3	1	5	8	4	6	2	9
9	5	6	2	3	1	7	4	8

130

5	4	6	3	7	2	1	8	9
3	9	8	1	4	6	5	7	2
1	2	7	5	9	8	3	6	4
9	5	4	7	3	1	6	2	8
2	8	1	4	6	9	7	3	5
6	7	3	2	8	5	4	9	1
7	1	5	8	2	3	9	4	6
4	6	2	9	5	7	8	1	3
8	3	9	6	1	4	2	5	7

131

2	7	5	9	3	6	4	8	1
9	4	6	8	5	1	2	3	7
1	8	3	7	4	2	9	6	5
7	3	9	1	6	4	5	2	8
4	5	8	2	9	3	1	7	6
6	1	2	5	7	8	3	4	9
3	6	1	4	8	5	7	9	2
5	9	4	6	2	7	8	1	3
8	2	7	3	1	9	6	5	4

132

9	6	1	5	8	4	7	3	2
2	8	7	9	3	1	4	5	6
5	3	4	6	2	7	1	9	8
3	9	5	8	1	2	6	4	7
1	7	2	4	9	6	3	8	5
8	4	6	7	5	3	2	1	9
7	2	8	3	4	9	5	6	1
6	5	3	1	7	8	9	2	4
4	1	9	2	6	5	8	7	3

133

3	9	1	2	8	4	7	5	6
2	8	7	5	9	6	1	3	4
6	4	5	1	3	7	9	2	8
8	1	2	7	6	9	5	4	3
4	7	3	8	2	5	6	1	9
9	5	6	4	1	3	2	8	7
1	3	4	6	7	2	8	9	5
5	6	8	9	4	1	3	7	2
7	2	9	3	5	8	4	6	1

134

8	3	6	5	9	4	2	7	1
7	1	9	8	6	2	4	3	5
5	2	4	3	7	1	8	6	9
6	4	7	9	1	8	5	2	3
1	8	2	7	5	3	6	9	4
3	9	5	2	4	6	1	8	7
4	5	3	6	2	9	7	1	8
2	7	8	1	3	5	9	4	6
9	6	1	4	8	7	3	5	2

135

6	4	7	1	5	8	2	9	3
5	9	2	3	4	7	1	8	6
8	1	3	9	2	6	5	7	4
2	6	5	4	7	3	9	1	8
3	7	9	6	8	1	4	5	2
4	8	1	5	9	2	6	3	7
7	5	8	2	1	4	3	6	9
1	3	4	7	6	9	8	2	5
9	2	6	8	3	5	7	4	1

136

5	2	1	8	6	9	3	7	4
3	6	9	4	7	1	2	5	8
4	8	7	2	3	5	9	1	6
9	5	8	6	1	4	7	2	3
7	1	2	3	9	8	4	6	5
6	3	4	7	5	2	8	9	1
8	9	5	1	4	7	6	3	2
1	4	3	9	2	6	5	8	7
2	7	6	5	8	3	1	4	9

Answers

137

1	4	7	9	6	2	8	3	5
9	2	5	3	8	1	7	6	4
6	3	8	4	7	5	9	2	1
4	9	1	7	2	3	6	5	8
5	7	6	8	1	4	2	9	3
2	8	3	6	5	9	1	4	7
3	1	4	2	9	7	5	8	6
7	6	2	5	3	8	4	1	9
8	5	9	1	4	6	3	7	2

138

6	7	5	4	2	9	3	8	1
1	4	8	5	3	6	7	2	9
2	3	9	1	8	7	6	4	5
4	5	7	2	9	1	8	3	6
8	1	2	6	5	3	4	9	7
9	6	3	7	4	8	5	1	2
5	2	1	3	6	4	9	7	8
3	9	6	8	7	2	1	5	4
7	8	4	9	1	5	2	6	3

139

8	2	7	9	1	3	4	6	5
9	5	6	2	4	8	1	3	7
1	3	4	7	6	5	8	9	2
2	6	1	4	7	9	3	5	8
7	9	8	3	5	2	6	1	4
5	4	3	1	8	6	7	2	9
3	8	5	6	2	4	9	7	1
6	7	2	8	9	1	5	4	3
4	1	9	5	3	7	2	8	6

140

3	7	6	1	2	9	8	4	5
2	9	5	6	8	4	1	3	7
1	8	4	7	3	5	9	6	2
8	2	9	3	4	7	6	5	1
4	6	3	5	9	1	7	2	8
7	5	1	8	6	2	3	9	4
6	1	7	2	5	3	4	8	9
9	3	2	4	1	8	5	7	6
5	4	8	9	7	6	2	1	3

141

8	7	4	6	5	3	9	2	1
3	1	9	2	4	7	6	5	8
2	6	5	9	8	1	3	4	7
4	2	1	3	7	5	8	9	6
5	3	7	8	9	6	2	1	4
9	8	6	4	1	2	7	3	5
7	9	3	1	6	4	5	8	2
6	4	8	5	2	9	1	7	3
1	5	2	7	3	8	4	6	9

142

1	7	3	8	6	9	4	2	5
5	4	6	7	1	2	9	8	3
8	9	2	4	3	5	1	7	6
3	8	9	5	4	7	6	1	2
4	5	1	6	2	3	8	9	7
6	2	7	9	8	1	5	3	4
2	3	5	1	9	6	7	4	8
9	6	4	3	7	8	2	5	1
7	1	8	2	5	4	3	6	9

143

3	1	7	6	4	8	2	5	9
2	5	4	3	1	9	8	6	7
6	9	8	5	2	7	3	1	4
4	6	1	7	3	2	5	9	8
8	7	2	9	5	4	6	3	1
5	3	9	1	8	6	4	7	2
1	2	6	4	9	3	7	8	5
9	8	3	2	7	5	1	4	6
7	4	5	8	6	1	9	2	3

144

5	9	2	7	1	6	8	3	4
4	1	3	8	9	5	6	7	2
6	8	7	4	2	3	5	9	1
1	6	8	5	3	2	7	4	9
3	2	5	9	4	7	1	8	6
7	4	9	6	8	1	2	5	3
9	5	4	2	6	8	3	1	7
8	3	6	1	7	9	4	2	5
2	7	1	3	5	4	9	6	8

145

5	7	4	8	1	6	9	2	3
9	2	8	7	3	4	6	5	1
3	6	1	2	5	9	8	7	4
8	3	2	5	4	7	1	6	9
4	1	5	9	6	3	7	8	2
6	9	7	1	2	8	3	4	5
7	5	9	4	8	1	2	3	6
2	8	3	6	9	5	4	1	7
1	4	6	3	7	2	5	9	8

146

6	1	5	8	9	2	4	3	7
4	8	3	1	7	6	9	5	2
9	7	2	5	4	3	1	8	6
5	6	7	4	8	1	2	9	3
1	3	4	7	2	9	8	6	5
2	9	8	6	3	5	7	4	1
3	2	1	9	5	8	6	7	4
8	4	6	3	1	7	5	2	9
7	5	9	2	6	4	3	1	8

147

5	2	1	3	8	7	6	9	4
9	3	7	4	6	2	1	8	5
4	6	8	5	1	9	2	3	7
2	8	5	1	3	6	7	4	9
7	1	3	9	2	4	5	6	8
6	9	4	8	7	5	3	1	2
8	5	6	2	9	1	4	7	3
1	4	9	7	5	3	8	2	6
3	7	2	6	4	8	9	5	1

148

7	5	9	3	8	6	4	1	2
3	8	1	2	4	9	5	7	6
2	4	6	1	7	5	8	3	9
5	9	8	4	3	7	2	6	1
4	7	2	6	1	8	3	9	5
1	6	3	5	9	2	7	4	8
9	3	4	8	5	1	6	2	7
8	2	7	9	6	4	1	5	3
6	1	5	7	2	3	9	8	4

149

9	1	5	8	3	6	4	7	2
3	7	2	4	1	5	8	9	6
8	4	6	7	9	2	3	5	1
4	3	9	6	2	1	7	8	5
6	5	7	3	4	8	2	1	9
1	2	8	9	5	7	6	3	4
7	8	4	5	6	9	1	2	3
5	6	1	2	7	3	9	4	8
2	9	3	1	8	4	5	6	7

150

9	8	4	5	6	7	1	3	2
7	1	2	3	9	8	5	6	4
5	3	6	2	4	1	9	8	7
4	5	7	9	1	6	8	2	3
8	6	3	7	5	2	4	9	1
1	2	9	4	8	3	6	7	5
6	7	5	1	2	9	3	4	8
3	4	8	6	7	5	2	1	9
2	9	1	8	3	4	7	5	6

151

7	8	3	6	1	9	2	4	5
2	6	9	8	4	5	1	7	3
5	4	1	7	2	3	8	9	6
4	1	5	9	6	7	3	8	2
8	7	6	4	3	2	9	5	1
9	3	2	5	8	1	7	6	4
1	9	4	2	5	8	6	3	7
3	5	8	1	7	6	4	2	9
6	2	7	3	9	4	5	1	8

152

6	7	4	1	3	2	5	8	9
1	8	3	7	9	5	6	4	2
9	5	2	6	4	8	3	1	7
5	3	9	8	1	7	2	6	4
7	2	6	4	5	9	8	3	1
8	4	1	3	2	6	7	9	5
4	9	7	5	8	3	1	2	6
2	6	8	9	7	1	4	5	3
3	1	5	2	6	4	9	7	8

153

2	6	3	1	8	4	7	9	5
8	1	4	9	7	5	6	2	3
9	7	5	3	2	6	4	8	1
4	8	9	2	5	7	1	3	6
6	5	1	4	3	9	8	7	2
7	3	2	6	1	8	9	5	4
5	4	8	7	6	3	2	1	9
3	2	6	8	9	1	5	4	7
1	9	7	5	4	2	3	6	8

154

9	8	7	6	2	5	3	4	1
3	4	6	7	9	1	5	2	8
5	1	2	4	3	8	6	9	7
4	3	9	2	8	6	7	1	5
8	7	1	5	4	3	2	6	9
2	6	5	9	1	7	4	8	3
1	9	4	3	5	2	8	7	6
6	2	3	8	7	9	1	5	4
7	5	8	1	6	4	9	3	2

155

7	6	9	8	2	3	5	4	1
1	5	2	6	7	4	9	3	8
4	8	3	9	1	5	6	7	2
3	1	8	4	5	9	2	6	7
2	7	5	1	8	6	3	9	4
9	4	6	2	3	7	1	8	5
8	3	4	5	6	1	7	2	9
5	9	7	3	4	2	8	1	6
6	2	1	7	9	8	4	5	3

156

6	7	5	1	9	4	8	2	3
4	8	3	7	2	6	5	1	9
2	1	9	3	5	8	6	7	4
5	3	2	4	1	9	7	8	6
7	4	6	2	8	3	9	5	1
8	9	1	5	6	7	4	3	2
9	6	7	8	3	1	2	4	5
1	5	4	6	7	2	3	9	8
3	2	8	9	4	5	1	6	7

157

6	3	8	2	5	7	9	4	1
7	5	4	9	1	6	3	2	8
2	9	1	3	8	4	6	5	7
5	8	6	7	3	1	4	9	2
4	7	3	6	2	9	1	8	5
9	1	2	8	4	5	7	6	3
1	6	9	5	7	8	2	3	4
3	4	5	1	6	2	8	7	9
8	2	7	4	9	3	5	1	6

158

2	8	6	4	9	1	3	5	7
3	7	1	5	8	2	4	9	6
4	9	5	7	6	3	2	8	1
5	2	3	1	7	9	6	4	8
6	1	9	3	4	8	5	7	2
8	4	7	2	5	6	1	3	9
1	6	4	8	3	7	9	2	5
9	5	8	6	2	4	7	1	3
7	3	2	9	1	5	8	6	4

159

1	9	7	5	8	2	4	6	3
8	3	2	1	6	4	9	5	7
5	4	6	7	9	3	1	2	8
3	6	5	2	1	7	8	9	4
7	8	4	9	5	6	3	1	2
9	2	1	3	4	8	5	7	6
2	7	9	8	3	5	6	4	1
6	1	8	4	2	9	7	3	5
4	5	3	6	7	1	2	8	9

160

6	1	9	7	5	3	4	8	2
5	2	4	6	8	1	7	3	9
3	8	7	9	4	2	6	1	5
9	4	6	8	1	7	5	2	3
2	7	8	3	9	5	1	4	6
1	3	5	2	6	4	8	9	7
4	5	3	1	7	9	2	6	8
7	6	2	4	3	8	9	5	1
8	9	1	5	2	6	3	7	4

161

1	8	5	7	9	3	4	6	2
6	7	2	8	1	4	9	5	3
9	4	3	2	5	6	7	8	1
2	9	1	3	4	5	8	7	6
5	3	4	6	7	8	1	2	9
8	6	7	9	2	1	5	3	4
3	1	9	5	8	2	6	4	7
4	5	6	1	3	7	2	9	8
7	2	8	4	6	9	3	1	5

162

4	6	3	2	7	8	9	1	5
8	1	7	5	4	9	6	2	3
5	2	9	1	6	3	4	7	8
2	8	1	7	5	4	3	6	9
9	5	4	3	1	6	2	8	7
7	3	6	9	8	2	5	4	1
1	4	2	8	3	5	7	9	6
3	9	8	6	2	7	1	5	4
6	7	5	4	9	1	8	3	2

163

5	9	6	3	4	1	7	8	2
4	8	7	2	9	5	1	6	3
1	2	3	8	6	7	4	9	5
3	5	8	4	7	2	9	1	6
9	7	4	1	3	6	5	2	8
2	6	1	9	5	8	3	7	4
6	1	5	7	2	3	8	4	9
7	3	9	6	8	4	2	5	1
8	4	2	5	1	9	6	3	7

164

3	9	7	8	2	1	6	4	5
6	5	2	9	3	4	1	8	7
4	8	1	5	7	6	2	9	3
9	3	8	1	4	2	7	5	6
7	1	6	3	9	5	4	2	8
5	2	4	6	8	7	9	3	1
8	6	3	4	1	9	5	7	2
1	7	9	2	5	8	3	6	4
2	4	5	7	6	3	8	1	9

165

3	5	4	8	6	2	1	7	9
6	1	7	9	4	5	3	8	2
8	9	2	3	1	7	5	4	6
2	8	9	6	3	4	7	1	5
4	7	1	2	5	8	9	6	3
5	6	3	1	7	9	8	2	4
1	3	5	7	2	6	4	9	8
9	4	6	5	8	1	2	3	7
7	2	8	4	9	3	6	5	1

166

8	1	6	7	3	2	5	4	9
4	3	2	5	9	1	8	7	6
7	5	9	4	8	6	1	3	2
1	7	3	8	5	9	2	6	4
5	6	8	2	4	7	9	1	3
2	9	4	1	6	3	7	8	5
3	8	7	6	2	5	4	9	1
6	4	5	9	1	8	3	2	7
9	2	1	3	7	4	6	5	8

167

8	4	1	5	6	3	2	9	7
9	3	5	4	7	2	6	8	1
6	7	2	1	9	8	3	4	5
4	9	8	6	2	1	7	5	3
5	2	3	8	4	7	9	1	6
1	6	7	9	3	5	4	2	8
7	5	4	3	1	9	8	6	2
3	1	9	2	8	6	5	7	4
2	8	6	7	5	4	1	3	9

168

9	7	5	2	8	4	1	6	3
4	1	8	3	7	6	5	9	2
2	6	3	5	9	1	4	8	7
7	2	6	9	1	8	3	4	5
8	5	4	6	3	2	9	7	1
1	3	9	4	5	7	6	2	8
3	8	1	7	4	9	2	5	6
6	4	7	1	2	5	8	3	9
5	9	2	8	6	3	7	1	4

169

4	7	2	6	1	5	3	8	9
3	9	1	7	4	8	2	6	5
6	8	5	2	3	9	1	4	7
2	1	7	9	6	3	4	5	8
5	6	3	8	2	4	9	7	1
9	4	8	5	7	1	6	2	3
1	2	6	3	8	7	5	9	4
8	3	9	4	5	6	7	1	2
7	5	4	1	9	2	8	3	6

170

5	1	4	7	2	6	9	8	3
3	7	6	5	9	8	1	4	2
8	9	2	3	1	4	6	7	5
4	8	1	9	3	5	7	2	6
7	6	5	4	8	2	3	1	9
2	3	9	6	7	1	4	5	8
6	4	3	2	5	7	8	9	1
1	5	7	8	6	9	2	3	4
9	2	8	1	4	3	5	6	7

171

9	4	3	1	5	7	8	2	6
8	5	6	3	2	4	1	7	9
1	2	7	6	9	8	4	3	5
6	9	5	2	4	1	7	8	3
3	8	1	9	7	6	2	5	4
2	7	4	8	3	5	9	6	1
4	6	9	7	8	3	5	1	2
7	3	2	5	1	9	6	4	8
5	1	8	4	6	2	3	9	7

172

9	6	8	7	3	1	2	5	4
2	3	7	4	5	9	8	1	6
5	4	1	6	2	8	9	7	3
3	8	6	1	7	2	4	9	5
4	1	9	3	8	5	6	2	7
7	2	5	9	6	4	1	3	8
1	5	2	8	4	7	3	6	9
6	7	4	2	9	3	5	8	1
8	9	3	5	1	6	7	4	2

173

2	8	6	1	5	9	4	7	3
5	4	3	2	8	7	1	9	6
9	7	1	3	4	6	5	8	2
1	5	8	7	6	4	2	3	9
4	6	2	9	3	5	7	1	8
7	3	9	8	2	1	6	4	5
8	2	5	4	7	3	9	6	1
6	1	4	5	9	8	3	2	7
3	9	7	6	1	2	8	5	4

174

3	2	8	6	5	4	9	1	7
5	6	9	1	8	7	4	3	2
4	7	1	3	9	2	6	5	8
8	1	5	7	6	9	2	4	3
7	9	3	4	2	5	1	8	6
2	4	6	8	3	1	7	9	5
9	3	2	5	4	6	8	7	1
6	8	7	9	1	3	5	2	4
1	5	4	2	7	8	3	6	9

175

1	7	2	6	8	5	4	3	9
9	8	6	2	3	4	7	1	5
3	4	5	1	9	7	8	6	2
4	1	7	8	5	3	2	9	6
8	2	3	9	1	6	5	7	4
6	5	9	7	4	2	3	8	1
2	9	1	5	7	8	6	4	3
5	3	8	4	6	1	9	2	7
7	6	4	3	2	9	1	5	8

176

2	4	3	9	1	6	8	5	7
8	6	7	5	3	4	2	9	1
5	9	1	7	2	8	3	4	6
9	2	6	3	8	1	5	7	4
3	1	8	4	7	5	9	6	2
4	7	5	2	6	9	1	8	3
1	5	9	6	4	3	7	2	8
7	8	4	1	5	2	6	3	9
6	3	2	8	9	7	4	1	5

177

5	2	4	9	1	8	7	3	6
9	6	1	7	5	3	8	2	4
8	3	7	4	2	6	9	5	1
6	8	3	1	4	5	2	9	7
4	7	9	8	3	2	6	1	5
2	1	5	6	9	7	4	8	3
7	5	6	2	8	1	3	4	9
3	9	8	5	6	4	1	7	2
1	4	2	3	7	9	5	6	8

178

4	2	6	5	9	8	7	3	1
7	3	5	1	6	2	8	4	9
9	1	8	3	7	4	2	6	5
6	9	4	8	2	7	1	5	3
2	8	1	6	5	3	9	7	4
3	5	7	4	1	9	6	2	8
5	6	3	2	8	1	4	9	7
8	4	9	7	3	6	5	1	2
1	7	2	9	4	5	3	8	6

179

4	5	1	2	7	3	9	8	6
6	3	9	8	5	1	4	7	2
8	2	7	6	9	4	5	1	3
7	6	8	3	4	5	1	2	9
5	1	2	9	8	7	3	6	4
3	9	4	1	6	2	8	5	7
2	4	6	5	1	9	7	3	8
9	8	5	7	3	6	2	4	1
1	7	3	4	2	8	6	9	5

180

1	6	2	8	5	7	9	3	4
5	3	8	4	6	9	7	1	2
4	7	9	1	3	2	8	6	5
2	4	3	7	1	5	6	9	8
7	9	5	2	8	6	1	4	3
6	8	1	9	4	3	2	5	7
3	5	7	6	2	1	4	8	9
9	1	4	3	7	8	5	2	6
8	2	6	5	9	4	3	7	1

181

7	8	1	2	6	4	3	5	9
3	6	5	8	7	9	4	2	1
4	2	9	1	5	3	8	6	7
9	3	4	5	8	6	1	7	2
2	7	6	3	9	1	5	4	8
1	5	8	7	4	2	9	3	6
5	9	2	6	3	8	7	1	4
8	1	7	4	2	5	6	9	3
6	4	3	9	1	7	2	8	5

182

9	8	7	6	1	4	3	2	5
1	6	5	7	2	3	9	4	8
3	4	2	5	9	8	6	7	1
2	3	8	9	5	7	1	6	4
7	1	6	3	4	2	8	5	9
4	5	9	1	8	6	2	3	7
5	9	3	2	7	1	4	8	6
6	7	4	8	3	9	5	1	2
8	2	1	4	6	5	7	9	3

183

2	9	5	6	3	1	8	7	4
1	6	7	9	4	8	3	2	5
8	4	3	2	5	7	6	1	9
6	5	8	4	9	2	1	3	7
4	7	1	8	6	3	9	5	2
3	2	9	7	1	5	4	6	8
7	3	4	5	8	6	2	9	1
5	8	6	1	2	9	7	4	3
9	1	2	3	7	4	5	8	6

184

1	5	6	3	2	8	7	4	9
3	7	4	9	5	1	2	8	6
9	2	8	4	7	6	3	1	5
5	8	3	1	4	7	6	9	2
6	9	7	2	8	3	1	5	4
4	1	2	6	9	5	8	7	3
2	4	1	8	3	9	5	6	7
7	6	9	5	1	2	4	3	8
8	3	5	7	6	4	9	2	1

185

5	7	1	9	8	4	6	3	2
9	6	2	1	7	3	5	8	4
4	8	3	6	5	2	9	7	1
3	5	9	8	4	6	1	2	7
2	1	7	3	9	5	8	4	6
8	4	6	7	2	1	3	5	9
6	2	4	5	3	9	7	1	8
7	9	5	2	1	8	4	6	3
1	3	8	4	6	7	2	9	5

186

3	6	7	4	5	9	1	2	8
1	4	8	3	2	6	9	7	5
9	2	5	1	7	8	3	4	6
7	3	9	8	6	1	2	5	4
6	8	2	5	4	3	7	9	1
4	5	1	7	9	2	6	8	3
5	9	4	6	3	7	8	1	2
2	1	6	9	8	5	4	3	7
8	7	3	2	1	4	5	6	9

187

9	7	2	8	4	5	1	6	3
3	5	4	6	9	1	8	7	2
6	1	8	2	3	7	4	9	5
8	9	6	1	5	3	7	2	4
7	2	5	4	6	9	3	1	8
1	4	3	7	8	2	9	5	6
2	3	9	5	7	8	6	4	1
4	8	1	9	2	6	5	3	7
5	6	7	3	1	4	2	8	9

188

8	7	5	9	1	3	2	4	6
2	3	1	4	5	6	7	9	8
6	4	9	8	2	7	1	5	3
5	8	2	3	6	1	4	7	9
9	1	3	5	7	4	8	6	2
4	6	7	2	9	8	5	3	1
7	9	8	1	3	5	6	2	4
1	2	6	7	4	9	3	8	5
3	5	4	6	8	2	9	1	7

189

7	8	9	3	2	1	6	4	5
4	5	3	9	6	7	2	1	8
1	2	6	5	4	8	9	7	3
9	4	5	1	3	2	7	8	6
3	7	1	6	8	5	4	9	2
2	6	8	4	7	9	3	5	1
6	1	4	7	5	3	8	2	9
8	9	7	2	1	6	5	3	4
5	3	2	8	9	4	1	6	7

190

5	4	3	1	6	2	8	7	9
8	2	9	3	5	7	1	4	6
6	1	7	4	9	8	3	2	5
1	6	5	7	2	3	4	9	8
9	7	8	5	4	1	2	6	3
4	3	2	9	8	6	7	5	1
3	9	6	2	1	4	5	8	7
7	5	4	8	3	9	6	1	2
2	8	1	6	7	5	9	3	4

191

6	2	1	4	9	8	5	7	3
7	9	8	6	5	3	2	4	1
4	3	5	1	7	2	6	9	8
2	6	9	3	8	4	1	5	7
3	1	4	5	2	7	8	6	9
5	8	7	9	1	6	3	2	4
1	4	2	8	6	9	7	3	5
8	7	3	2	4	5	9	1	6
9	5	6	7	3	1	4	8	2

192

9	2	4	1	6	5	8	7	3
8	6	7	3	2	4	9	1	5
3	1	5	8	7	9	4	2	6
2	4	3	7	9	1	5	6	8
6	7	9	2	5	8	1	3	4
5	8	1	4	3	6	2	9	7
1	3	2	5	4	7	6	8	9
4	9	8	6	1	3	7	5	2
7	5	6	9	8	2	3	4	1

193

6	7	4	8	9	5	3	1	2
5	1	9	3	2	6	7	4	8
2	3	8	1	7	4	5	6	9
9	6	1	5	4	8	2	3	7
4	5	7	2	1	3	8	9	6
8	2	3	7	6	9	4	5	1
3	4	2	9	8	1	6	7	5
7	9	5	6	3	2	1	8	4
1	8	6	4	5	7	9	2	3

194

1	6	5	4	2	3	7	9	8
2	8	4	7	5	9	6	1	3
3	7	9	1	6	8	5	2	4
5	3	7	6	9	1	8	4	2
8	9	1	2	7	4	3	6	5
4	2	6	8	3	5	9	7	1
9	4	8	3	1	7	2	5	6
7	1	2	5	8	6	4	3	9
6	5	3	9	4	2	1	8	7

195

9	1	3	4	8	2	5	6	7
5	7	8	3	9	6	2	4	1
2	4	6	5	7	1	8	3	9
6	9	4	1	2	8	3	7	5
8	2	5	6	3	7	1	9	4
7	3	1	9	4	5	6	2	8
4	8	9	2	1	3	7	5	6
1	6	2	7	5	9	4	8	3
3	5	7	8	6	4	9	1	2

196

9	3	8	5	2	4	6	1	7
5	7	4	1	3	6	9	8	2
2	6	1	8	9	7	5	4	3
3	1	2	7	4	5	8	6	9
6	8	7	9	1	2	4	3	5
4	5	9	3	6	8	2	7	1
7	9	6	4	5	1	3	2	8
8	4	5	2	7	3	1	9	6
1	2	3	6	8	9	7	5	4

197

3	6	5	7	4	2	1	8	9
9	2	4	1	8	3	5	6	7
8	7	1	6	9	5	2	4	3
7	8	2	3	6	4	9	1	5
1	3	9	5	7	8	6	2	4
4	5	6	9	2	1	7	3	8
5	4	3	2	1	7	8	9	6
2	9	8	4	5	6	3	7	1
6	1	7	8	3	9	4	5	2

198

1	5	2	8	6	4	9	7	3
9	7	8	3	5	1	2	4	6
4	6	3	9	2	7	1	5	8
6	8	1	7	3	2	5	9	4
5	3	7	4	9	6	8	1	2
2	9	4	1	8	5	3	6	7
3	4	5	6	1	8	7	2	9
8	1	6	2	7	9	4	3	5
7	2	9	5	4	3	6	8	1

199

2	5	1	6	9	3	4	8	7
6	9	7	1	4	8	2	3	5
4	3	8	5	2	7	6	9	1
9	8	3	2	7	4	1	5	6
1	2	4	8	6	5	3	7	9
7	6	5	3	1	9	8	2	4
8	4	6	9	5	2	7	1	3
5	1	2	7	3	6	9	4	8
3	7	9	4	8	1	5	6	2

200

3	4	2	5	7	6	8	9	1
8	9	6	1	2	4	3	7	5
5	1	7	3	9	8	4	2	6
4	8	1	9	5	7	2	6	3
2	6	5	8	3	1	7	4	9
7	3	9	4	6	2	5	1	8
1	7	8	6	4	5	9	3	2
9	5	4	2	1	3	6	8	7
6	2	3	7	8	9	1	5	4

201

5	7	9	2	3	6	8	4	1
6	8	2	5	1	4	7	9	3
3	4	1	7	8	9	6	5	2
7	2	8	3	9	5	4	1	6
9	6	5	4	7	1	2	3	8
1	3	4	8	6	2	9	7	5
4	1	3	9	2	8	5	6	7
8	5	7	6	4	3	1	2	9
2	9	6	1	5	7	3	8	4

202

5	7	1	6	2	4	8	9	3
6	3	9	7	8	5	2	1	4
4	8	2	9	3	1	7	6	5
7	1	6	5	4	8	9	3	2
8	9	5	3	6	2	4	7	1
3	2	4	1	9	7	5	8	6
2	4	3	8	7	6	1	5	9
9	5	7	4	1	3	6	2	8
1	6	8	2	5	9	3	4	7

203

5	1	9	7	4	6	3	8	2
8	7	2	3	5	1	6	9	4
4	3	6	2	8	9	1	7	5
2	4	3	1	9	8	5	6	7
9	6	8	5	2	7	4	1	3
1	5	7	6	3	4	8	2	9
7	2	1	4	6	5	9	3	8
6	8	5	9	7	3	2	4	1
3	9	4	8	1	2	7	5	6

204

9	5	8	3	1	4	7	6	2
7	6	2	5	9	8	3	1	4
1	3	4	7	2	6	5	9	8
2	8	3	1	6	5	9	4	7
5	4	9	8	3	7	6	2	1
6	7	1	2	4	9	8	3	5
8	2	6	4	5	3	1	7	9
3	1	5	9	7	2	4	8	6
4	9	7	6	8	1	2	5	3

205

2	6	1	8	7	4	5	9	3
3	9	7	5	2	6	8	4	1
4	8	5	1	9	3	7	2	6
6	2	4	7	8	5	3	1	9
5	3	8	6	1	9	2	7	4
1	7	9	3	4	2	6	5	8
9	5	3	2	6	1	4	8	7
8	1	6	4	5	7	9	3	2
7	4	2	9	3	8	1	6	5

206

3	5	7	8	4	9	6	1	2
1	9	6	2	5	7	3	4	8
2	8	4	3	6	1	5	7	9
4	6	9	5	7	3	8	2	1
7	1	2	6	9	8	4	5	3
8	3	5	4	1	2	9	6	7
9	4	3	7	2	6	1	8	5
5	2	1	9	8	4	7	3	6
6	7	8	1	3	5	2	9	4

207

7	2	1	4	5	8	9	6	3
5	9	3	7	2	6	4	8	1
6	4	8	9	3	1	2	5	7
9	6	5	8	4	3	1	7	2
2	8	7	1	9	5	6	3	4
3	1	4	2	6	7	5	9	8
4	7	2	6	8	9	3	1	5
8	3	6	5	1	4	7	2	9
1	5	9	3	7	2	8	4	6

208

4	5	9	6	8	2	7	3	1
7	6	8	1	3	4	2	9	5
2	3	1	5	7	9	4	6	8
9	4	7	8	1	3	5	2	6
5	1	6	4	2	7	9	8	3
3	8	2	9	5	6	1	7	4
1	9	5	7	6	8	3	4	2
8	7	3	2	4	5	6	1	9
6	2	4	3	9	1	8	5	7

209

7	8	2	1	5	4	9	3	6
5	6	4	9	8	3	2	7	1
3	9	1	7	2	6	5	8	4
1	5	9	4	7	8	3	6	2
8	2	3	6	1	9	4	5	7
6	4	7	5	3	2	1	9	8
9	1	5	2	6	7	8	4	3
4	3	6	8	9	1	7	2	5
2	7	8	3	4	5	6	1	9

210

4	7	3	1	5	8	6	9	2
1	6	9	2	7	4	5	3	8
5	8	2	3	9	6	1	4	7
8	4	1	9	3	2	7	5	6
7	2	6	8	4	5	3	1	9
3	9	5	7	6	1	8	2	4
6	1	8	5	2	9	4	7	3
2	5	7	4	8	3	9	6	1
9	3	4	6	1	7	2	8	5

211

6	4	2	9	3	7	5	8	1
9	8	3	1	5	2	7	4	6
7	5	1	4	6	8	2	3	9
5	2	8	6	7	4	1	9	3
1	9	6	2	8	3	4	7	5
4	3	7	5	9	1	6	2	8
2	6	4	8	1	9	3	5	7
8	7	5	3	2	6	9	1	4
3	1	9	7	4	5	8	6	2

212

2	3	8	4	9	1	6	5	7
7	4	9	6	8	5	1	2	3
5	6	1	3	2	7	4	9	8
8	5	3	7	4	9	2	1	6
1	9	6	2	5	3	7	8	4
4	2	7	1	6	8	5	3	9
9	8	2	5	7	6	3	4	1
3	7	5	8	1	4	9	6	2
6	1	4	9	3	2	8	7	5

213

7	5	4	3	6	8	1	2	9
6	9	8	2	1	5	7	4	3
1	2	3	9	4	7	5	6	8
2	4	7	1	8	6	9	3	5
9	6	1	5	2	3	4	8	7
3	8	5	7	9	4	6	1	2
5	7	2	6	3	1	8	9	4
8	1	9	4	5	2	3	7	6
4	3	6	8	7	9	2	5	1

214

4	9	5	1	3	7	6	8	2
1	3	6	2	8	9	4	7	5
2	7	8	5	6	4	1	3	9
8	2	3	4	9	6	7	5	1
7	5	4	8	1	2	3	9	6
6	1	9	3	7	5	8	2	4
9	4	7	6	5	8	2	1	3
3	8	2	9	4	1	5	6	7
5	6	1	7	2	3	9	4	8

215

4	5	2	9	1	8	3	6	7
9	3	1	7	4	6	2	8	5
6	7	8	3	2	5	4	1	9
5	2	4	8	7	9	1	3	6
8	1	9	4	6	3	7	5	2
3	6	7	2	5	1	8	9	4
7	8	3	6	9	2	5	4	1
1	4	6	5	3	7	9	2	8
2	9	5	1	8	4	6	7	3

216

7	9	6	5	4	8	1	2	3
2	3	4	6	1	9	7	8	5
5	1	8	7	2	3	9	4	6
4	8	7	2	9	5	3	6	1
6	5	1	3	8	7	2	9	4
9	2	3	4	6	1	8	5	7
1	4	2	8	7	6	5	3	9
3	6	9	1	5	2	4	7	8
8	7	5	9	3	4	6	1	2

217

7	2	9	4	8	6	5	1	3
6	1	8	5	2	3	9	4	7
4	3	5	7	1	9	8	6	2
9	8	2	6	7	4	1	3	5
1	5	4	2	3	8	7	9	6
3	6	7	9	5	1	4	2	8
5	4	1	3	6	7	2	8	9
8	7	3	1	9	2	6	5	4
2	9	6	8	4	5	3	7	1

218

8	7	9	2	3	4	5	6	1
4	3	1	6	5	8	7	2	9
2	6	5	1	9	7	3	8	4
7	9	6	8	4	1	2	5	3
3	1	2	5	7	9	8	4	6
5	4	8	3	6	2	1	9	7
9	2	4	7	8	3	6	1	5
6	8	3	4	1	5	9	7	2
1	5	7	9	2	6	4	3	8

219

7	5	4	1	2	8	6	3	9
9	2	8	3	6	5	7	4	1
1	6	3	4	9	7	2	8	5
4	1	6	2	7	9	8	5	3
5	9	7	8	4	3	1	2	6
3	8	2	5	1	6	4	9	7
2	4	9	6	3	1	5	7	8
8	7	1	9	5	2	3	6	4
6	3	5	7	8	4	9	1	2

220

7	1	9	5	6	8	3	2	4
6	4	2	3	1	7	5	9	8
3	8	5	4	9	2	1	6	7
2	3	1	7	4	6	8	5	9
8	7	6	2	5	9	4	1	3
9	5	4	8	3	1	6	7	2
1	2	8	6	7	3	9	4	5
4	6	3	9	2	5	7	8	1
5	9	7	1	8	4	2	3	6

221

1	8	9	2	7	4	5	6	3
2	3	6	5	8	9	1	7	4
7	5	4	1	6	3	8	9	2
4	1	3	6	9	5	7	2	8
8	9	5	3	2	7	6	4	1
6	2	7	4	1	8	9	3	5
9	4	8	7	5	2	3	1	6
3	7	1	8	4	6	2	5	9
5	6	2	9	3	1	4	8	7

222

4	1	2	9	6	5	7	8	3
3	5	7	4	2	8	6	9	1
6	9	8	3	1	7	4	2	5
5	7	1	2	4	9	3	6	8
2	3	9	8	5	6	1	4	7
8	6	4	7	3	1	2	5	9
9	2	3	1	8	4	5	7	6
7	4	5	6	9	3	8	1	2
1	8	6	5	7	2	9	3	4

223

7	9	6	2	8	4	3	5	1
5	8	1	7	6	3	4	9	2
4	3	2	1	5	9	8	7	6
8	4	9	5	7	6	1	2	3
3	1	5	8	4	2	9	6	7
2	6	7	3	9	1	5	4	8
9	2	3	6	1	5	7	8	4
1	7	4	9	2	8	6	3	5
6	5	8	4	3	7	2	1	9

224

7	2	1	5	3	4	9	8	6
4	6	3	1	8	9	2	7	5
9	8	5	2	7	6	3	4	1
8	1	9	7	5	2	4	6	3
6	4	7	3	9	1	8	5	2
5	3	2	6	4	8	7	1	9
2	9	8	4	6	5	1	3	7
1	7	6	8	2	3	5	9	4
3	5	4	9	1	7	6	2	8

225

4	1	9	3	5	2	8	7	6
7	5	6	1	4	8	3	2	9
8	2	3	9	7	6	1	4	5
5	8	2	6	9	4	7	3	1
9	4	7	5	1	3	2	6	8
3	6	1	2	8	7	9	5	4
6	9	5	7	3	1	4	8	2
1	7	4	8	2	5	6	9	3
2	3	8	4	6	9	5	1	7

226

7	3	2	4	5	1	6	9	8
8	1	5	2	9	6	3	7	4
9	4	6	3	7	8	1	2	5
5	9	7	1	8	2	4	3	6
3	6	1	5	4	7	2	8	9
2	8	4	9	6	3	7	5	1
6	2	3	8	1	5	9	4	7
4	7	8	6	3	9	5	1	2
1	5	9	7	2	4	8	6	3

227

9	1	5	7	8	2	3	4	6
4	2	7	5	6	3	1	9	8
6	3	8	4	9	1	5	7	2
1	4	9	2	5	8	6	3	7
2	5	3	6	4	7	8	1	9
7	8	6	1	3	9	4	2	5
8	9	4	3	7	6	2	5	1
3	6	1	9	2	5	7	8	4
5	7	2	8	1	4	9	6	3

228

6	7	4	3	9	8	5	2	1
9	1	3	5	2	6	8	4	7
8	5	2	4	7	1	9	6	3
4	9	1	8	5	3	2	7	6
3	2	8	6	4	7	1	9	5
5	6	7	2	1	9	3	8	4
2	3	9	7	6	5	4	1	8
7	4	5	1	8	2	6	3	9
1	8	6	9	3	4	7	5	2

229

7	2	1	9	4	3	8	6	5
3	5	8	6	2	1	4	9	7
9	4	6	5	8	7	3	2	1
4	1	3	7	6	8	2	5	9
5	8	9	1	3	2	7	4	6
2	6	7	4	5	9	1	8	3
8	9	4	3	7	5	6	1	2
1	7	2	8	9	6	5	3	4
6	3	5	2	1	4	9	7	8

230

5	8	2	3	4	6	1	7	9
9	6	3	7	1	2	5	4	8
1	7	4	5	9	8	2	6	3
7	9	1	4	8	3	6	5	2
8	4	5	6	2	9	7	3	1
2	3	6	1	5	7	9	8	4
6	1	8	2	3	5	4	9	7
3	2	7	9	6	4	8	1	5
4	5	9	8	7	1	3	2	6

231

8	9	7	5	6	1	2	4	3
4	5	2	8	9	3	6	7	1
1	6	3	4	7	2	9	8	5
5	3	4	7	1	9	8	2	6
2	8	1	3	4	6	5	9	7
9	7	6	2	8	5	3	1	4
7	4	5	6	2	8	1	3	9
3	2	9	1	5	4	7	6	8
6	1	8	9	3	7	4	5	2

232

4	3	1	2	9	6	7	5	8
9	6	2	5	7	8	3	4	1
7	8	5	4	1	3	9	6	2
6	4	8	3	2	7	5	1	9
5	2	3	1	4	9	6	8	7
1	9	7	6	8	5	4	2	3
2	7	6	8	3	4	1	9	5
8	5	9	7	6	1	2	3	4
3	1	4	9	5	2	8	7	6

233

9	5	3	2	6	7	4	8	1
7	1	4	8	5	9	3	6	2
6	8	2	4	3	1	5	7	9
8	7	5	3	2	6	1	9	4
4	2	9	7	1	5	6	3	8
1	3	6	9	4	8	7	2	5
5	9	8	6	7	4	2	1	3
2	6	1	5	9	3	8	4	7
3	4	7	1	8	2	9	5	6

234

1	4	2	5	8	3	9	6	7
5	7	6	2	9	4	1	3	8
9	8	3	1	7	6	4	5	2
2	5	7	3	1	9	6	8	4
8	1	4	6	5	7	3	2	9
6	3	9	8	4	2	5	7	1
4	6	8	9	2	5	7	1	3
7	2	5	4	3	1	8	9	6
3	9	1	7	6	8	2	4	5

235

5	6	7	8	1	4	3	2	9
8	9	3	6	2	5	4	7	1
4	1	2	3	7	9	6	8	5
6	7	4	2	9	1	8	5	3
1	8	9	4	5	3	2	6	7
3	2	5	7	8	6	1	9	4
2	4	1	9	6	7	5	3	8
9	5	6	1	3	8	7	4	2
7	3	8	5	4	2	9	1	6

236

7	2	4	5	1	3	6	8	9
9	3	1	8	6	7	5	4	2
5	8	6	4	2	9	7	1	3
4	6	5	3	7	2	1	9	8
3	1	7	6	9	8	4	2	5
8	9	2	1	5	4	3	7	6
6	5	8	9	4	1	2	3	7
1	7	9	2	3	6	8	5	4
2	4	3	7	8	5	9	6	1

237

8	9	3	7	2	6	1	4	5
1	4	2	8	5	9	3	6	7
6	7	5	1	3	4	8	9	2
2	1	4	5	6	3	7	8	9
9	6	7	4	8	2	5	1	3
3	5	8	9	1	7	6	2	4
7	3	6	2	4	8	9	5	1
5	2	9	6	7	1	4	3	8
4	8	1	3	9	5	2	7	6

238

3	1	5	4	6	7	8	9	2
8	6	7	2	5	9	4	3	1
4	2	9	3	1	8	6	7	5
1	4	8	9	7	3	2	5	6
7	9	6	1	2	5	3	8	4
2	5	3	6	8	4	9	1	7
9	8	1	5	4	2	7	6	3
5	3	2	7	9	6	1	4	8
6	7	4	8	3	1	5	2	9

239

9	8	1	5	4	2	6	3	7
7	6	2	3	9	8	5	1	4
5	3	4	6	7	1	9	8	2
8	7	5	4	3	9	1	2	6
4	9	3	1	2	6	8	7	5
2	1	6	7	8	5	3	4	9
6	5	7	8	1	4	2	9	3
3	2	8	9	6	7	4	5	1
1	4	9	2	5	3	7	6	8

240

6	4	7	2	5	9	1	3	8
8	5	9	1	6	3	7	2	4
1	3	2	8	7	4	9	5	6
7	2	5	3	9	8	4	6	1
4	1	8	7	2	6	5	9	3
9	6	3	4	1	5	2	8	7
5	7	6	9	8	1	3	4	2
3	8	1	5	4	2	6	7	9
2	9	4	6	3	7	8	1	5

241

6	5	4	8	7	3	2	9	1
8	7	9	2	4	1	3	5	6
1	2	3	6	5	9	7	8	4
4	1	2	3	6	5	9	7	8
9	3	6	7	8	4	1	2	5
7	8	5	9	1	2	6	4	3
5	6	8	1	2	7	4	3	9
2	9	1	4	3	8	5	6	7
3	4	7	5	9	6	8	1	2

242

6	3	4	8	9	7	5	2	1
5	8	1	2	3	4	7	6	9
9	2	7	6	5	1	3	4	8
4	9	5	1	2	8	6	3	7
7	6	8	5	4	3	1	9	2
2	1	3	9	7	6	4	8	5
3	4	9	7	8	5	2	1	6
8	5	6	4	1	2	9	7	3
1	7	2	3	6	9	8	5	4

243

3	5	9	2	4	6	1	8	7
2	6	1	5	7	8	3	9	4
7	8	4	3	9	1	2	6	5
8	2	7	9	3	5	4	1	6
5	4	6	1	2	7	9	3	8
1	9	3	6	8	4	7	5	2
4	7	5	8	1	3	6	2	9
6	1	2	4	5	9	8	7	3
9	3	8	7	6	2	5	4	1

244

8	2	4	3	1	9	7	5	6
1	7	6	2	4	5	9	3	8
3	5	9	7	8	6	2	1	4
9	6	3	5	2	4	1	8	7
7	4	1	9	3	8	5	6	2
5	8	2	1	6	7	3	4	9
4	3	5	6	7	2	8	9	1
2	1	8	4	9	3	6	7	5
6	9	7	8	5	1	4	2	3

245

5	4	2	9	6	8	7	1	3
8	1	3	7	4	5	6	9	2
7	9	6	2	3	1	5	4	8
1	2	5	6	7	4	8	3	9
3	8	7	5	2	9	1	6	4
4	6	9	8	1	3	2	5	7
2	7	1	3	9	6	4	8	5
6	3	8	4	5	2	9	7	1
9	5	4	1	8	7	3	2	6

246

7	5	8	3	1	9	2	4	6
1	9	2	5	4	6	7	8	3
4	3	6	8	2	7	9	5	1
6	7	4	1	8	2	3	9	5
2	8	9	6	3	5	4	1	7
5	1	3	9	7	4	6	2	8
3	2	5	7	9	1	8	6	4
9	6	7	4	5	8	1	3	2
8	4	1	2	6	3	5	7	9

247

4	6	8	1	5	3	9	2	7
9	7	2	8	6	4	3	5	1
5	1	3	2	7	9	6	8	4
8	2	1	9	3	6	4	7	5
7	9	6	5	4	8	1	3	2
3	4	5	7	2	1	8	6	9
2	8	4	3	1	7	5	9	6
1	3	7	6	9	5	2	4	8
6	5	9	4	8	2	7	1	3

248

3	2	1	6	7	9	8	5	4
8	7	6	4	3	5	2	9	1
5	9	4	8	2	1	6	3	7
6	8	9	7	1	4	5	2	3
2	5	7	9	6	3	1	4	8
4	1	3	2	5	8	7	6	9
1	6	2	3	9	7	4	8	5
9	4	5	1	8	2	3	7	6
7	3	8	5	4	6	9	1	2

249

9	6	4	8	3	2	7	5	1
8	5	1	6	4	7	2	3	9
3	2	7	5	9	1	6	4	8
5	9	6	3	2	8	1	7	4
7	8	2	1	5	4	9	6	3
1	4	3	9	7	6	5	8	2
6	3	9	2	8	5	4	1	7
2	7	5	4	1	3	8	9	6
4	1	8	7	6	9	3	2	5

250

3	6	4	2	1	8	9	7	5
1	5	8	9	7	6	4	2	3
9	2	7	3	4	5	1	8	6
5	4	9	8	2	3	6	1	7
8	7	2	6	9	1	3	5	4
6	1	3	7	5	4	8	9	2
7	3	5	4	8	9	2	6	1
4	8	1	5	6	2	7	3	9
2	9	6	1	3	7	5	4	8

251

3	6	9	1	5	8	4	7	2
8	5	4	7	9	2	6	3	1
2	1	7	3	6	4	5	8	9
5	3	1	8	4	9	2	6	7
4	7	6	2	1	5	3	9	8
9	8	2	6	3	7	1	4	5
7	2	3	5	8	6	9	1	4
1	9	8	4	2	3	7	5	6
6	4	5	9	7	1	8	2	3

252

4	2	1	9	7	8	3	5	6
5	9	3	6	4	2	1	8	7
7	6	8	3	5	1	9	4	2
1	8	6	5	3	4	7	2	9
3	7	2	8	6	9	5	1	4
9	4	5	2	1	7	8	6	3
6	1	9	7	2	5	4	3	8
8	3	4	1	9	6	2	7	5
2	5	7	4	8	3	6	9	1

253

7	3	9	6	5	8	1	4	2
2	1	4	9	7	3	8	5	6
5	6	8	4	2	1	7	9	3
6	2	5	7	4	9	3	8	1
9	8	7	1	3	2	5	6	4
3	4	1	5	8	6	2	7	9
8	9	6	2	1	7	4	3	5
1	5	3	8	6	4	9	2	7
4	7	2	3	9	5	6	1	8

254

2	7	6	8	1	4	3	9	5
8	1	5	9	3	2	6	4	7
9	3	4	7	6	5	1	2	8
6	4	7	1	9	3	5	8	2
1	5	8	6	2	7	4	3	9
3	9	2	4	5	8	7	1	6
7	8	1	5	4	9	2	6	3
4	2	9	3	7	6	8	5	1
5	6	3	2	8	1	9	7	4

255

2	1	4	8	9	6	3	5	7
9	3	5	2	4	7	8	6	1
8	7	6	1	5	3	2	9	4
7	6	9	4	2	8	1	3	5
5	4	2	3	6	1	9	7	8
3	8	1	5	7	9	4	2	6
6	5	8	9	1	2	7	4	3
1	9	7	6	3	4	5	8	2
4	2	3	7	8	5	6	1	9

256

1	5	8	2	3	4	6	7	9
7	2	9	6	1	5	3	4	8
6	3	4	9	8	7	2	1	5
3	9	2	1	6	8	7	5	4
4	8	1	7	5	2	9	3	6
5	6	7	3	4	9	8	2	1
8	7	6	4	2	1	5	9	3
9	4	5	8	7	3	1	6	2
2	1	3	5	9	6	4	8	7

257

8	5	3	9	2	1	7	4	6
9	4	2	7	5	6	8	3	1
7	1	6	3	4	8	9	5	2
1	8	9	5	6	3	2	7	4
4	6	5	8	7	2	3	1	9
3	2	7	4	1	9	6	8	5
2	3	4	6	8	5	1	9	7
5	9	1	2	3	7	4	6	8
6	7	8	1	9	4	5	2	3

258

5	7	3	8	4	2	1	9	6
6	2	8	9	1	5	4	3	7
9	4	1	7	3	6	5	2	8
7	5	2	6	8	1	9	4	3
8	3	9	4	2	7	6	5	1
1	6	4	3	5	9	7	8	2
3	1	5	2	6	4	8	7	9
2	9	6	5	7	8	3	1	4
4	8	7	1	9	3	2	6	5

259

9	7	2	6	8	4	5	3	1
5	4	3	1	9	7	6	8	2
6	8	1	3	5	2	4	7	9
8	1	9	5	2	6	3	4	7
2	6	7	4	3	1	9	5	8
3	5	4	8	7	9	1	2	6
1	3	5	7	6	8	2	9	4
7	9	6	2	4	5	8	1	3
4	2	8	9	1	3	7	6	5

260

5	7	3	4	2	9	6	8	1
9	4	6	3	8	1	2	7	5
1	8	2	6	7	5	3	9	4
4	5	9	8	1	2	7	3	6
2	1	8	7	3	6	4	5	9
6	3	7	9	5	4	1	2	8
3	2	4	1	9	8	5	6	7
7	9	1	5	6	3	8	4	2
8	6	5	2	4	7	9	1	3

261

4	9	5	3	2	6	1	7	8
6	8	2	7	1	4	3	9	5
7	3	1	8	9	5	2	6	4
2	5	4	6	7	9	8	1	3
8	1	7	4	3	2	6	5	9
9	6	3	1	5	8	4	2	7
3	7	6	9	4	1	5	8	2
1	2	9	5	8	3	7	4	6
5	4	8	2	6	7	9	3	1

262

8	5	3	2	6	1	9	4	7
6	1	7	4	3	9	8	5	2
4	2	9	7	8	5	1	6	3
7	8	4	9	1	3	5	2	6
2	9	6	5	4	7	3	1	8
5	3	1	8	2	6	4	7	9
3	4	5	6	9	2	7	8	1
9	6	8	1	7	4	2	3	5
1	7	2	3	5	8	6	9	4

263

6	7	8	2	9	5	1	3	4
3	5	2	7	1	4	9	8	6
9	1	4	6	8	3	7	5	2
1	4	7	3	2	9	5	6	8
2	6	5	1	7	8	3	4	9
8	9	3	4	5	6	2	1	7
4	2	9	8	3	1	6	7	5
7	8	1	5	6	2	4	9	3
5	3	6	9	4	7	8	2	1

264

4	8	1	2	7	6	9	3	5
5	3	2	4	8	9	6	1	7
7	6	9	1	3	5	4	2	8
3	1	4	8	2	7	5	9	6
8	9	7	5	6	1	2	4	3
2	5	6	3	9	4	8	7	1
9	4	3	6	1	8	7	5	2
1	7	8	9	5	2	3	6	4
6	2	5	7	4	3	1	8	9

265

8	9	2	4	1	5	7	6	3
5	1	4	6	3	7	9	2	8
6	7	3	2	9	8	4	5	1
1	8	6	5	4	3	2	9	7
2	3	9	8	7	6	5	1	4
7	4	5	9	2	1	3	8	6
4	5	8	3	6	9	1	7	2
9	2	1	7	8	4	6	3	5
3	6	7	1	5	2	8	4	9

266

2	6	4	5	3	9	1	7	8
1	8	7	2	6	4	3	5	9
9	5	3	8	1	7	4	6	2
8	2	9	3	5	1	6	4	7
6	7	5	9	4	2	8	3	1
4	3	1	7	8	6	9	2	5
3	1	2	6	9	5	7	8	4
7	4	6	1	2	8	5	9	3
5	9	8	4	7	3	2	1	6

267

2	3	9	5	4	1	6	7	8
5	4	6	7	8	9	2	3	1
8	1	7	6	2	3	9	5	4
4	2	3	8	6	7	5	1	9
9	6	1	2	3	5	8	4	7
7	8	5	9	1	4	3	2	6
6	5	8	1	7	2	4	9	3
3	7	2	4	9	8	1	6	5
1	9	4	3	5	6	7	8	2

268

2	8	6	1	9	4	5	7	3
5	9	3	7	8	2	1	6	4
4	1	7	6	3	5	9	8	2
6	2	8	5	4	1	3	9	7
9	4	5	8	7	3	2	1	6
3	7	1	9	2	6	4	5	8
7	5	2	4	1	8	6	3	9
8	6	4	3	5	9	7	2	1
1	3	9	2	6	7	8	4	5

269

8	5	1	4	7	2	6	3	9
7	3	2	9	6	5	8	4	1
4	6	9	3	1	8	7	5	2
9	1	8	2	4	7	5	6	3
3	2	4	6	5	9	1	8	7
6	7	5	1	8	3	2	9	4
1	9	6	5	2	4	3	7	8
2	8	3	7	9	6	4	1	5
5	4	7	8	3	1	9	2	6

270

4	9	2	6	1	7	8	3	5
1	3	5	9	8	4	6	7	2
7	8	6	3	5	2	1	4	9
9	6	3	1	7	8	2	5	4
8	4	7	2	6	5	9	1	3
5	2	1	4	9	3	7	8	6
6	5	9	7	4	1	3	2	8
2	7	4	8	3	6	5	9	1
3	1	8	5	2	9	4	6	7

271

2	9	8	3	7	4	1	6	5
3	6	1	8	5	2	9	4	7
4	7	5	9	6	1	2	3	8
5	8	6	7	2	9	3	1	4
7	1	2	4	3	8	6	5	9
9	3	4	5	1	6	7	8	2
6	5	9	2	8	3	4	7	1
8	4	3	1	9	7	5	2	6
1	2	7	6	4	5	8	9	3

272

3	1	2	5	6	8	4	7	9
8	6	5	7	4	9	3	1	2
7	4	9	1	3	2	8	6	5
9	5	4	3	8	1	7	2	6
1	8	7	2	5	6	9	3	4
6	2	3	9	7	4	5	8	1
5	9	6	8	2	3	1	4	7
2	7	8	4	1	5	6	9	3
4	3	1	6	9	7	2	5	8

273

2	4	1	3	9	6	8	7	5
9	3	6	8	7	5	2	1	4
7	5	8	4	2	1	3	9	6
8	6	7	9	5	2	1	4	3
4	2	5	1	3	7	9	6	8
1	9	3	6	8	4	5	2	7
3	7	9	2	4	8	6	5	1
6	8	4	5	1	9	7	3	2
5	1	2	7	6	3	4	8	9

274

9	4	1	6	7	2	3	5	8
7	3	5	4	9	8	6	1	2
6	8	2	5	1	3	4	7	9
8	6	7	2	4	1	5	9	3
3	2	4	9	6	5	7	8	1
5	1	9	3	8	7	2	6	4
2	7	3	1	5	9	8	4	6
1	5	6	8	2	4	9	3	7
4	9	8	7	3	6	1	2	5

275

5	4	9	1	6	2	3	8	7
7	3	2	9	8	4	6	5	1
1	8	6	5	3	7	4	2	9
2	6	4	3	7	9	8	1	5
3	1	5	6	2	8	9	7	4
8	9	7	4	5	1	2	3	6
6	5	1	2	4	3	7	9	8
9	2	8	7	1	6	5	4	3
4	7	3	8	9	5	1	6	2

276

6	1	4	7	8	3	9	2	5
3	2	7	9	5	6	4	1	8
9	8	5	1	2	4	6	7	3
5	9	1	8	4	7	2	3	6
7	3	6	2	1	5	8	4	9
8	4	2	6	3	9	1	5	7
1	7	8	5	6	2	3	9	4
2	5	3	4	9	8	7	6	1
4	6	9	3	7	1	5	8	2

277

5	9	3	7	8	1	2	4	6
4	7	6	5	2	3	1	9	8
8	2	1	4	9	6	5	7	3
6	4	5	3	1	2	9	8	7
9	8	2	6	4	7	3	5	1
1	3	7	8	5	9	4	6	2
2	1	8	9	6	4	7	3	5
3	5	9	1	7	8	6	2	4
7	6	4	2	3	5	8	1	9

278

2	5	7	6	9	4	3	1	8
3	4	6	1	8	2	5	7	9
1	8	9	5	3	7	2	6	4
6	7	2	9	4	1	8	5	3
5	3	8	2	7	6	9	4	1
4	9	1	8	5	3	7	2	6
9	2	4	7	1	8	6	3	5
7	1	5	3	6	9	4	8	2
8	6	3	4	2	5	1	9	7

279

5	9	2	1	4	6	7	8	3
4	6	8	7	2	3	1	5	9
1	7	3	5	8	9	4	6	2
7	8	9	3	1	5	2	4	6
6	1	5	4	9	2	3	7	8
3	2	4	6	7	8	5	9	1
9	3	6	2	5	4	8	1	7
2	5	7	8	6	1	9	3	4
8	4	1	9	3	7	6	2	5

280

9	1	2	4	5	8	7	3	6
8	4	7	3	9	6	1	2	5
6	3	5	2	1	7	8	9	4
1	8	3	5	7	2	4	6	9
2	7	4	6	8	9	5	1	3
5	9	6	1	4	3	2	8	7
7	6	1	9	2	5	3	4	8
4	5	9	8	3	1	6	7	2
3	2	8	7	6	4	9	5	1

281

1	3	4	9	5	6	2	8	7
5	7	6	8	4	2	3	9	1
9	2	8	7	3	1	6	4	5
2	6	1	5	7	9	4	3	8
8	5	7	4	2	3	1	6	9
3	4	9	6	1	8	7	5	2
6	9	3	2	8	7	5	1	4
7	8	5	1	6	4	9	2	3
4	1	2	3	9	5	8	7	6

282

5	7	6	1	3	2	4	8	9
3	9	2	8	4	7	6	1	5
1	4	8	6	9	5	2	7	3
4	3	1	2	6	9	7	5	8
9	6	7	5	1	8	3	4	2
8	2	5	4	7	3	1	9	6
7	1	3	9	5	6	8	2	4
2	5	4	3	8	1	9	6	7
6	8	9	7	2	4	5	3	1

283

8	2	1	4	9	7	3	6	5
3	6	4	2	5	1	9	8	7
9	7	5	3	6	8	1	4	2
2	1	3	6	7	4	8	5	9
4	5	9	8	1	3	7	2	6
6	8	7	5	2	9	4	3	1
5	9	8	1	4	2	6	7	3
7	3	6	9	8	5	2	1	4
1	4	2	7	3	6	5	9	8

284

5	1	3	9	6	7	2	8	4
6	7	8	4	2	3	9	5	1
2	9	4	1	8	5	6	3	7
9	6	5	8	7	1	3	4	2
3	2	7	6	5	4	1	9	8
4	8	1	2	3	9	5	7	6
8	5	9	7	1	6	4	2	3
1	3	2	5	4	8	7	6	9
7	4	6	3	9	2	8	1	5

285

3	5	1	9	6	4	2	8	7
2	9	7	8	3	1	4	6	5
6	4	8	2	7	5	9	3	1
8	6	5	4	9	7	3	1	2
9	3	2	6	1	8	5	7	4
1	7	4	3	5	2	8	9	6
4	2	9	1	8	6	7	5	3
5	1	3	7	2	9	6	4	8
7	8	6	5	4	3	1	2	9

286

2	1	9	4	8	6	7	3	5
6	4	5	3	7	9	8	1	2
3	7	8	5	2	1	9	6	4
9	8	3	2	6	5	1	4	7
7	2	6	1	9	4	5	8	3
1	5	4	7	3	8	6	2	9
4	6	7	9	1	3	2	5	8
5	9	1	8	4	2	3	7	6
8	3	2	6	5	7	4	9	1

287

4	9	7	3	8	1	5	2	6
1	2	5	4	7	6	8	3	9
8	6	3	9	2	5	7	1	4
3	4	6	1	9	8	2	5	7
7	8	2	5	3	4	9	6	1
9	5	1	7	6	2	3	4	8
6	3	9	2	1	7	4	8	5
2	1	4	8	5	9	6	7	3
5	7	8	6	4	3	1	9	2

288

2	4	6	3	8	1	9	7	5
3	9	7	2	5	4	6	8	1
8	5	1	6	7	9	3	4	2
4	6	5	1	3	2	8	9	7
9	1	8	4	6	7	2	5	3
7	3	2	5	9	8	1	6	4
6	2	9	7	1	5	4	3	8
5	8	4	9	2	3	7	1	6
1	7	3	8	4	6	5	2	9

289

9	2	3	5	1	7	8	6	4
5	1	8	9	4	6	7	3	2
7	4	6	2	3	8	5	9	1
4	6	1	8	7	3	2	5	9
2	8	5	1	9	4	6	7	3
3	9	7	6	5	2	1	4	8
6	3	2	4	8	5	9	1	7
8	7	9	3	6	1	4	2	5
1	5	4	7	2	9	3	8	6

290

6	7	5	3	8	1	4	9	2
2	1	9	4	6	5	7	3	8
8	4	3	2	9	7	1	5	6
5	8	4	9	1	6	3	2	7
3	9	7	5	4	2	8	6	1
1	6	2	7	3	8	5	4	9
9	3	8	6	7	4	2	1	5
7	2	6	1	5	3	9	8	4
4	5	1	8	2	9	6	7	3

291

9	7	8	4	2	6	3	5	1
1	4	6	3	5	9	7	8	2
5	2	3	1	7	8	6	9	4
8	3	9	7	6	2	1	4	5
6	5	4	8	1	3	2	7	9
7	1	2	5	9	4	8	6	3
4	8	7	2	3	5	9	1	6
3	9	1	6	4	7	5	2	8
2	6	5	9	8	1	4	3	7

292

7	8	4	3	1	5	2	6	9
6	2	3	8	9	7	5	1	4
9	5	1	4	6	2	7	3	8
1	3	5	9	2	8	4	7	6
2	4	6	1	7	3	8	9	5
8	7	9	6	5	4	1	2	3
5	9	8	7	3	1	6	4	2
4	6	7	2	8	9	3	5	1
3	1	2	5	4	6	9	8	7

293

1	3	7	9	8	2	5	4	6
2	5	8	6	4	1	9	3	7
4	6	9	3	5	7	2	8	1
5	7	1	2	6	4	8	9	3
6	4	3	8	7	9	1	5	2
8	9	2	5	1	3	6	7	4
7	1	6	4	9	8	3	2	5
3	8	5	7	2	6	4	1	9
9	2	4	1	3	5	7	6	8

294

4	8	6	1	7	2	9	3	5
7	9	5	6	8	3	1	4	2
2	1	3	5	4	9	8	6	7
1	3	7	2	6	4	5	8	9
9	6	2	8	3	5	7	1	4
8	5	4	7	9	1	6	2	3
6	2	9	3	1	7	4	5	8
3	4	1	9	5	8	2	7	6
5	7	8	4	2	6	3	9	1

295

1	3	7	5	9	8	4	6	2
9	5	2	1	4	6	7	8	3
6	8	4	3	7	2	9	1	5
7	4	8	6	1	3	5	2	9
2	9	1	4	5	7	8	3	6
3	6	5	8	2	9	1	4	7
5	7	3	2	8	4	6	9	1
4	1	6	9	3	5	2	7	8
8	2	9	7	6	1	3	5	4

296

9	4	1	7	6	8	3	2	5
6	5	2	1	3	9	7	4	8
8	3	7	4	2	5	9	6	1
3	9	5	8	1	6	4	7	2
2	1	6	9	4	7	8	5	3
4	7	8	2	5	3	1	9	6
7	6	9	5	8	1	2	3	4
1	2	3	6	7	4	5	8	9
5	8	4	3	9	2	6	1	7

297

1	9	7	3	2	4	6	8	5
4	3	2	6	5	8	9	7	1
5	8	6	1	9	7	3	4	2
9	7	4	8	3	5	2	1	6
8	2	5	9	1	6	7	3	4
6	1	3	7	4	2	5	9	8
7	4	8	2	6	9	1	5	3
3	6	9	5	8	1	4	2	7
2	5	1	4	7	3	8	6	9

298

7	4	8	3	6	1	2	5	9
1	2	6	9	7	5	8	3	4
3	9	5	2	8	4	6	1	7
5	8	2	4	1	3	7	9	6
4	7	1	6	5	9	3	8	2
9	6	3	7	2	8	5	4	1
8	5	7	1	9	2	4	6	3
6	1	4	8	3	7	9	2	5
2	3	9	5	4	6	1	7	8

299

6	9	8	3	2	1	4	5	7
5	1	7	4	9	6	2	8	3
2	3	4	8	5	7	6	9	1
1	7	3	5	6	2	8	4	9
9	6	2	7	8	4	1	3	5
8	4	5	1	3	9	7	2	6
7	8	6	9	4	5	3	1	2
3	5	1	2	7	8	9	6	4
4	2	9	6	1	3	5	7	8

300

6	4	8	9	5	2	3	7	1
5	9	3	1	7	8	4	6	2
7	1	2	3	4	6	8	5	9
4	3	1	6	8	5	2	9	7
9	7	5	2	3	4	6	1	8
2	8	6	7	1	9	5	3	4
1	5	7	4	2	3	9	8	6
3	6	4	8	9	7	1	2	5
8	2	9	5	6	1	7	4	3

301

7	6	1	5	4	2	9	8	3
8	2	5	3	6	9	7	1	4
4	9	3	7	1	8	6	2	5
2	3	8	6	9	7	5	4	1
6	5	9	4	3	1	8	7	2
1	7	4	2	8	5	3	9	6
5	8	6	9	2	4	1	3	7
3	1	2	8	7	6	4	5	9
9	4	7	1	5	3	2	6	8

302

7	9	4	5	3	2	8	6	1
8	1	3	4	6	9	7	2	5
5	6	2	8	7	1	4	9	3
3	5	6	1	9	7	2	4	8
2	8	9	3	5	4	1	7	6
4	7	1	6	2	8	3	5	9
1	2	7	9	8	6	5	3	4
6	4	5	2	1	3	9	8	7
9	3	8	7	4	5	6	1	2

303

7	3	4	1	9	2	8	6	5
9	6	2	3	5	8	7	1	4
1	8	5	6	4	7	2	3	9
3	1	8	9	2	4	5	7	6
5	2	9	7	6	1	3	4	8
4	7	6	8	3	5	9	2	1
2	5	3	4	8	6	1	9	7
6	9	1	5	7	3	4	8	2
8	4	7	2	1	9	6	5	3

304

3	5	2	4	9	7	6	8	1
8	6	4	5	1	3	9	2	7
9	7	1	6	8	2	3	4	5
1	9	6	8	3	4	7	5	2
2	8	7	9	6	5	4	1	3
4	3	5	7	2	1	8	9	6
7	2	9	1	4	6	5	3	8
5	4	3	2	7	8	1	6	9
6	1	8	3	5	9	2	7	4

305

4	1	8	9	5	3	7	6	2
7	6	3	2	4	8	5	9	1
5	2	9	6	1	7	4	8	3
8	9	1	3	2	4	6	5	7
2	5	4	7	6	9	3	1	8
3	7	6	1	8	5	2	4	9
9	4	5	8	3	2	1	7	6
1	3	7	4	9	6	8	2	5
6	8	2	5	7	1	9	3	4

306

7	2	1	4	9	5	6	8	3
3	6	9	8	2	1	5	4	7
8	5	4	7	3	6	9	2	1
5	4	8	6	7	3	2	1	9
2	7	3	1	8	9	4	5	6
1	9	6	2	5	4	3	7	8
9	3	2	5	1	7	8	6	4
6	1	5	3	4	8	7	9	2
4	8	7	9	6	2	1	3	5

307

1	7	9	2	6	3	8	5	4
3	6	5	7	4	8	1	2	9
8	2	4	9	1	5	3	6	7
6	5	7	4	8	2	9	1	3
2	1	8	3	9	7	6	4	5
4	9	3	1	5	6	7	8	2
5	3	2	8	7	1	4	9	6
7	4	1	6	2	9	5	3	8
9	8	6	5	3	4	2	7	1

308

2	5	3	7	1	6	4	9	8
9	7	4	8	5	3	1	2	6
8	6	1	4	2	9	5	3	7
6	3	9	2	8	4	7	5	1
4	1	7	9	6	5	2	8	3
5	8	2	1	3	7	9	6	4
7	2	6	5	4	8	3	1	9
1	9	8	3	7	2	6	4	5
3	4	5	6	9	1	8	7	2

309

7	6	1	9	3	8	4	2	5
2	8	3	4	5	6	7	9	1
9	5	4	2	1	7	6	3	8
8	3	6	1	7	9	5	4	2
1	7	2	3	4	5	8	6	9
4	9	5	6	8	2	3	1	7
3	2	7	8	9	4	1	5	6
5	1	9	7	6	3	2	8	4
6	4	8	5	2	1	9	7	3

310

7	6	5	2	1	3	4	9	8
1	8	3	7	4	9	2	6	5
2	4	9	8	6	5	3	1	7
6	1	8	5	3	7	9	4	2
5	3	4	1	9	2	8	7	6
9	7	2	4	8	6	5	3	1
3	9	1	6	2	8	7	5	4
8	5	6	3	7	4	1	2	9
4	2	7	9	5	1	6	8	3

311

2	3	6	1	8	4	5	9	7
1	8	7	5	9	6	3	2	4
4	5	9	7	3	2	6	1	8
5	1	2	6	7	3	8	4	9
3	6	4	9	1	8	7	5	2
7	9	8	4	2	5	1	3	6
9	2	1	8	5	7	4	6	3
8	4	3	2	6	1	9	7	5
6	7	5	3	4	9	2	8	1

312

7	1	5	9	3	2	6	4	8
9	2	3	6	4	8	1	5	7
6	8	4	7	1	5	9	2	3
3	9	2	1	8	7	4	6	5
8	5	7	4	6	9	3	1	2
4	6	1	5	2	3	8	7	9
5	4	9	3	7	1	2	8	6
1	7	8	2	9	6	5	3	4
2	3	6	8	5	4	7	9	1

313

1	3	7	2	4	6	9	5	8
9	6	5	7	1	8	4	2	3
2	8	4	3	9	5	1	7	6
7	9	1	5	6	4	3	8	2
8	5	2	1	3	9	7	6	4
6	4	3	8	2	7	5	9	1
4	7	9	6	8	1	2	3	5
3	1	8	9	5	2	6	4	7
5	2	6	4	7	3	8	1	9

314

7	2	1	4	9	6	8	3	5
8	5	4	1	3	2	6	9	7
6	9	3	7	8	5	4	1	2
1	6	7	8	5	4	9	2	3
5	3	8	6	2	9	1	7	4
2	4	9	3	7	1	5	8	6
9	8	6	2	4	3	7	5	1
3	1	5	9	6	7	2	4	8
4	7	2	5	1	8	3	6	9

315

5	4	8	6	7	9	2	1	3
9	1	6	2	8	3	7	4	5
3	7	2	1	4	5	9	8	6
2	3	1	4	9	6	5	7	8
8	9	4	5	2	7	3	6	1
6	5	7	8	3	1	4	2	9
4	2	9	3	6	8	1	5	7
7	6	5	9	1	4	8	3	2
1	8	3	7	5	2	6	9	4

316

6	2	1	7	4	8	9	5	3
5	7	8	3	9	2	1	4	6
4	9	3	1	5	6	7	8	2
1	6	5	8	3	9	4	2	7
8	4	7	5	2	1	6	3	9
9	3	2	4	6	7	8	1	5
3	5	9	6	1	4	2	7	8
7	1	6	2	8	5	3	9	4
2	8	4	9	7	3	5	6	1

317

2	7	4	6	9	8	5	3	1
3	9	8	2	1	5	4	7	6
1	5	6	7	4	3	2	8	9
7	3	9	5	8	6	1	4	2
4	8	1	9	3	2	6	5	7
5	6	2	1	7	4	3	9	8
6	4	5	8	2	9	7	1	3
9	1	3	4	6	7	8	2	5
8	2	7	3	5	1	9	6	4

318

6	8	1	2	4	3	7	9	5
9	3	2	6	7	5	8	1	4
7	5	4	1	9	8	2	6	3
4	6	5	7	1	9	3	8	2
2	7	8	5	3	6	9	4	1
3	1	9	4	8	2	6	5	7
5	4	6	9	2	7	1	3	8
1	2	3	8	6	4	5	7	9
8	9	7	3	5	1	4	2	6

319

2	1	7	8	4	9	5	3	6
4	9	5	3	6	7	1	2	8
3	6	8	2	5	1	9	4	7
5	4	9	1	7	2	6	8	3
8	3	6	5	9	4	7	1	2
1	7	2	6	3	8	4	5	9
7	8	3	4	1	6	2	9	5
9	2	1	7	8	5	3	6	4
6	5	4	9	2	3	8	7	1

320

5	7	2	8	6	3	1	9	4
4	1	6	5	2	9	3	7	8
3	8	9	4	7	1	5	2	6
7	5	3	2	9	6	4	8	1
2	9	1	3	4	8	6	5	7
6	4	8	1	5	7	2	3	9
9	2	7	6	3	4	8	1	5
1	3	4	7	8	5	9	6	2
8	6	5	9	1	2	7	4	3

321

6	3	1	2	8	7	5	4	9
5	7	2	4	6	9	1	8	3
9	4	8	5	3	1	2	6	7
4	9	5	6	7	2	8	3	1
1	8	6	3	9	5	7	2	4
7	2	3	8	1	4	9	5	6
2	5	7	9	4	6	3	1	8
3	6	9	1	2	8	4	7	5
8	1	4	7	5	3	6	9	2

322

9	3	7	6	2	5	8	4	1
1	2	8	3	4	7	9	6	5
4	6	5	8	9	1	3	7	2
2	7	4	9	3	6	1	5	8
3	1	9	4	5	8	6	2	7
5	8	6	1	7	2	4	3	9
7	4	1	5	8	3	2	9	6
6	9	2	7	1	4	5	8	3
8	5	3	2	6	9	7	1	4

323

1	2	5	7	8	6	3	9	4
9	8	4	5	1	3	7	2	6
7	3	6	4	9	2	8	1	5
6	4	8	9	3	7	1	5	2
3	9	2	1	5	8	4	6	7
5	7	1	2	6	4	9	8	3
4	1	9	6	7	5	2	3	8
8	6	7	3	2	1	5	4	9
2	5	3	8	4	9	6	7	1

324

9	2	5	4	8	1	7	6	3
6	1	7	9	2	3	5	4	8
4	8	3	7	6	5	1	9	2
2	5	8	6	3	7	9	1	4
1	7	6	2	9	4	3	8	5
3	4	9	5	1	8	2	7	6
7	3	2	1	4	6	8	5	9
5	9	4	8	7	2	6	3	1
8	6	1	3	5	9	4	2	7

325

4	5	1	7	3	6	2	9	8
6	7	8	2	4	9	5	3	1
9	2	3	8	1	5	4	7	6
3	8	6	4	5	7	9	1	2
5	4	9	1	2	3	6	8	7
7	1	2	9	6	8	3	5	4
8	9	4	5	7	2	1	6	3
1	6	7	3	9	4	8	2	5
2	3	5	6	8	1	7	4	9

326

5	2	9	8	1	6	7	4	3
7	8	4	2	5	3	6	1	9
6	3	1	7	9	4	8	2	5
1	9	7	5	3	8	2	6	4
2	4	3	1	6	7	9	5	8
8	6	5	4	2	9	1	3	7
3	7	8	6	4	2	5	9	1
4	5	6	9	8	1	3	7	2
9	1	2	3	7	5	4	8	6

327

5	2	8	4	1	6	7	9	3
9	3	6	2	8	7	4	1	5
4	7	1	9	3	5	2	8	6
6	5	2	8	7	4	1	3	9
8	1	3	5	2	9	6	4	7
7	4	9	3	6	1	8	5	2
3	6	4	7	5	8	9	2	1
2	8	7	1	9	3	5	6	4
1	9	5	6	4	2	3	7	8

328

5	1	9	3	4	2	8	6	7
2	6	4	1	8	7	5	3	9
3	8	7	9	5	6	4	2	1
9	3	1	8	6	5	7	4	2
6	4	8	2	7	1	3	9	5
7	5	2	4	3	9	1	8	6
4	9	5	6	1	3	2	7	8
8	7	6	5	2	4	9	1	3
1	2	3	7	9	8	6	5	4

329

2	4	5	3	7	9	8	6	1
8	1	9	6	4	2	5	7	3
6	3	7	8	1	5	4	2	9
4	9	6	1	2	7	3	5	8
3	2	8	4	5	6	1	9	7
7	5	1	9	3	8	2	4	6
5	6	4	7	8	3	9	1	2
9	8	2	5	6	1	7	3	4
1	7	3	2	9	4	6	8	5

330

8	5	2	9	4	1	3	7	6
9	6	1	8	3	7	5	4	2
4	3	7	6	2	5	9	1	8
2	7	4	3	1	9	8	6	5
5	8	6	2	7	4	1	3	9
1	9	3	5	6	8	4	2	7
3	2	5	4	9	6	7	8	1
7	4	8	1	5	2	6	9	3
6	1	9	7	8	3	2	5	4

331

6	8	2	4	9	1	3	7	5
7	9	3	8	6	5	4	1	2
1	4	5	3	7	2	8	6	9
5	6	7	2	3	9	1	8	4
2	1	4	7	8	6	9	5	3
9	3	8	1	5	4	7	2	6
3	7	6	5	4	8	2	9	1
8	2	9	6	1	3	5	4	7
4	5	1	9	2	7	6	3	8

332

9	6	2	1	7	4	8	3	5
1	4	8	3	9	5	6	7	2
7	5	3	2	6	8	9	1	4
3	1	5	7	4	9	2	6	8
4	2	7	8	1	6	3	5	9
6	8	9	5	3	2	1	4	7
2	9	4	6	5	1	7	8	3
5	3	1	9	8	7	4	2	6
8	7	6	4	2	3	5	9	1

333

1	5	3	9	8	7	2	6	4
8	9	2	4	5	6	7	3	1
4	6	7	3	1	2	8	9	5
3	1	9	8	7	4	5	2	6
7	8	4	6	2	5	3	1	9
5	2	6	1	3	9	4	8	7
2	4	8	5	9	1	6	7	3
6	7	1	2	4	3	9	5	8
9	3	5	7	6	8	1	4	2

334

5	8	1	3	2	4	9	6	7
6	7	3	9	8	5	4	1	2
4	9	2	7	1	6	8	3	5
9	1	4	2	6	7	3	5	8
2	3	5	8	4	9	6	7	1
8	6	7	1	5	3	2	4	9
1	4	6	5	9	2	7	8	3
7	2	8	4	3	1	5	9	6
3	5	9	6	7	8	1	2	4

335

2	4	3	9	1	6	7	5	8
7	6	5	2	3	8	1	4	9
9	1	8	7	5	4	2	3	6
1	3	7	8	2	9	5	6	4
8	5	6	3	4	7	9	1	2
4	2	9	5	6	1	3	8	7
5	8	1	4	9	2	6	7	3
6	7	2	1	8	3	4	9	5
3	9	4	6	7	5	8	2	1

336

4	2	8	7	6	9	3	1	5
6	7	1	3	4	5	9	2	8
9	5	3	8	1	2	6	7	4
8	1	5	4	9	7	2	6	3
7	6	2	1	3	8	5	4	9
3	9	4	2	5	6	1	8	7
2	4	9	5	7	1	8	3	6
5	8	7	6	2	3	4	9	1
1	3	6	9	8	4	7	5	2

337

4	5	9	3	2	1	6	8	7
2	8	6	9	7	4	5	3	1
1	3	7	6	5	8	2	4	9
5	7	1	2	6	3	4	9	8
9	4	2	1	8	7	3	6	5
8	6	3	5	4	9	1	7	2
6	9	5	7	3	2	8	1	4
7	2	8	4	1	6	9	5	3
3	1	4	8	9	5	7	2	6

338

6	9	5	8	7	2	3	1	4
4	8	1	5	3	9	2	7	6
3	2	7	4	6	1	9	5	8
7	5	8	3	9	4	1	6	2
1	3	6	2	8	5	4	9	7
2	4	9	6	1	7	5	8	3
9	6	4	7	5	3	8	2	1
8	1	2	9	4	6	7	3	5
5	7	3	1	2	8	6	4	9

339

8	6	3	7	2	5	9	1	4
2	9	5	1	4	6	8	3	7
7	4	1	3	8	9	5	2	6
1	5	8	9	3	7	6	4	2
4	3	2	5	6	8	1	7	9
6	7	9	2	1	4	3	5	8
3	2	7	8	9	1	4	6	5
9	1	6	4	5	2	7	8	3
5	8	4	6	7	3	2	9	1

340

5	2	4	3	8	6	1	7	9
6	7	3	2	1	9	4	5	8
1	9	8	4	7	5	3	2	6
9	3	5	8	4	2	7	6	1
2	8	1	7	6	3	9	4	5
7	4	6	5	9	1	8	3	2
8	5	2	9	3	7	6	1	4
4	1	7	6	2	8	5	9	3
3	6	9	1	5	4	2	8	7

341

1	6	8	5	2	9	3	7	4
9	3	2	7	6	4	1	5	8
4	5	7	3	8	1	6	2	9
3	2	6	4	7	5	8	9	1
7	4	1	8	9	6	5	3	2
8	9	5	1	3	2	7	4	6
2	8	4	6	5	7	9	1	3
5	1	3	9	4	8	2	6	7
6	7	9	2	1	3	4	8	5

342

6	7	8	1	5	3	9	2	4
1	9	4	2	8	7	6	3	5
3	2	5	6	9	4	8	1	7
9	6	2	7	4	1	5	8	3
4	3	7	8	6	5	2	9	1
8	5	1	9	3	2	4	7	6
7	8	9	4	1	6	3	5	2
5	1	6	3	2	8	7	4	9
2	4	3	5	7	9	1	6	8

343

5	8	1	2	3	7	4	9	6
9	3	4	5	1	6	7	2	8
2	6	7	4	8	9	5	1	3
6	7	5	1	9	3	2	8	4
1	4	2	6	5	8	3	7	9
3	9	8	7	2	4	6	5	1
4	5	9	8	6	2	1	3	7
8	2	6	3	7	1	9	4	5
7	1	3	9	4	5	8	6	2

344

4	1	3	7	9	5	8	2	6
7	6	5	1	8	2	9	4	3
9	8	2	4	6	3	7	5	1
1	7	8	9	4	6	5	3	2
3	4	9	2	5	7	6	1	8
2	5	6	8	3	1	4	9	7
8	2	1	5	7	9	3	6	4
6	9	7	3	2	4	1	8	5
5	3	4	6	1	8	2	7	9

345

8	7	3	2	9	6	1	5	4
4	2	9	5	1	3	8	7	6
5	6	1	7	8	4	9	3	2
9	5	8	6	7	1	2	4	3
7	1	4	3	2	9	5	6	8
6	3	2	8	4	5	7	9	1
2	4	7	9	3	8	6	1	5
1	9	5	4	6	2	3	8	7
3	8	6	1	5	7	4	2	9

346

6	8	5	7	1	4	2	3	9
3	7	1	9	8	2	6	4	5
4	2	9	6	3	5	1	7	8
8	6	4	3	9	1	7	5	2
5	9	7	2	4	6	3	8	1
1	3	2	8	5	7	4	9	6
9	1	6	4	7	8	5	2	3
2	4	3	5	6	9	8	1	7
7	5	8	1	2	3	9	6	4

347

5	8	2	7	6	3	4	1	9
3	4	7	1	5	9	6	8	2
6	1	9	2	8	4	7	3	5
8	9	4	6	2	5	3	7	1
1	2	3	9	7	8	5	6	4
7	6	5	3	4	1	2	9	8
4	7	6	8	9	2	1	5	3
2	3	8	5	1	7	9	4	6
9	5	1	4	3	6	8	2	7

348

8	1	6	7	3	9	4	2	5
3	7	5	6	2	4	1	8	9
2	4	9	8	5	1	6	3	7
7	2	3	5	6	8	9	1	4
9	8	4	1	7	2	3	5	6
6	5	1	9	4	3	2	7	8
5	9	2	3	8	6	7	4	1
1	3	8	4	9	7	5	6	2
4	6	7	2	1	5	8	9	3

349

3	2	8	4	6	1	7	9	5
5	1	9	7	2	3	4	8	6
4	6	7	8	5	9	1	2	3
7	9	3	6	4	8	2	5	1
1	8	5	9	3	2	6	4	7
6	4	2	1	7	5	9	3	8
8	3	4	2	1	7	5	6	9
9	7	6	5	8	4	3	1	2
2	5	1	3	9	6	8	7	4

350

2	1	3	4	9	7	5	6	8
7	4	8	6	1	5	3	9	2
9	5	6	3	2	8	4	7	1
1	3	4	8	6	2	9	5	7
6	9	5	7	4	1	2	8	3
8	2	7	5	3	9	1	4	6
3	7	9	2	5	6	8	1	4
5	8	2	1	7	4	6	3	9
4	6	1	9	8	3	7	2	5

351

6	3	7	2	8	4	5	1	9
9	2	4	6	1	5	3	7	8
8	5	1	7	9	3	4	6	2
1	9	6	4	5	8	2	3	7
2	8	3	1	7	9	6	4	5
4	7	5	3	6	2	8	9	1
5	1	9	8	3	6	7	2	4
3	4	8	9	2	7	1	5	6
7	6	2	5	4	1	9	8	3

352

9	2	7	6	5	8	1	3	4
3	5	8	1	9	4	7	2	6
4	1	6	7	2	3	5	9	8
7	4	1	3	6	9	2	8	5
5	3	2	8	4	7	6	1	9
6	8	9	2	1	5	3	4	7
2	7	4	5	8	1	9	6	3
1	9	3	4	7	6	8	5	2
8	6	5	9	3	2	4	7	1

353

9	8	5	3	2	1	4	6	7
4	6	3	9	8	7	2	5	1
7	1	2	4	6	5	8	9	3
6	2	4	1	3	9	7	8	5
8	7	9	6	5	2	3	1	4
5	3	1	7	4	8	6	2	9
3	5	7	8	9	6	1	4	2
2	4	6	5	1	3	9	7	8
1	9	8	2	7	4	5	3	6

354

3	1	8	4	2	6	7	9	5
7	2	9	8	5	1	6	3	4
5	4	6	9	7	3	2	8	1
9	3	4	1	8	7	5	2	6
6	5	7	3	4	2	8	1	9
2	8	1	6	9	5	3	4	7
4	7	2	5	3	9	1	6	8
8	6	3	7	1	4	9	5	2
1	9	5	2	6	8	4	7	3

355

8	2	3	5	9	4	6	1	7
9	1	5	3	7	6	8	2	4
6	7	4	8	2	1	3	5	9
4	6	2	7	1	8	5	9	3
1	3	8	9	5	2	7	4	6
5	9	7	4	6	3	1	8	2
2	5	1	6	4	7	9	3	8
3	4	6	1	8	9	2	7	5
7	8	9	2	3	5	4	6	1

356

1	6	2	7	8	9	3	5	4
3	7	4	2	1	5	8	9	6
8	9	5	6	4	3	2	1	7
9	5	1	4	7	2	6	8	3
2	8	7	9	3	6	5	4	1
6	4	3	1	5	8	9	7	2
7	2	6	5	9	1	4	3	8
5	1	8	3	6	4	7	2	9
4	3	9	8	2	7	1	6	5

357

2	6	1	8	3	7	5	4	9
9	4	7	2	5	1	3	8	6
5	3	8	6	4	9	7	2	1
4	8	2	3	7	6	9	1	5
7	9	5	1	8	4	6	3	2
3	1	6	9	2	5	8	7	4
6	5	4	7	1	3	2	9	8
1	2	3	5	9	8	4	6	7
8	7	9	4	6	2	1	5	3

358

6	4	1	2	3	9	8	5	7
2	7	3	4	5	8	1	9	6
5	8	9	1	6	7	3	2	4
8	9	4	5	1	6	2	7	3
3	5	7	8	4	2	6	1	9
1	2	6	7	9	3	5	4	8
7	3	8	9	2	1	4	6	5
9	1	5	6	8	4	7	3	2
4	6	2	3	7	5	9	8	1

359

2	9	3	8	7	1	5	4	6
1	6	8	4	2	5	9	3	7
7	4	5	3	6	9	1	2	8
3	1	9	5	8	2	7	6	4
4	5	2	6	9	7	3	8	1
6	8	7	1	4	3	2	5	9
9	3	4	2	1	6	8	7	5
8	2	1	7	5	4	6	9	3
5	7	6	9	3	8	4	1	2

360

8	5	6	7	9	2	4	3	1
1	2	9	5	3	4	8	7	6
3	4	7	8	6	1	2	5	9
6	1	5	4	2	3	9	8	7
4	3	2	9	8	7	1	6	5
9	7	8	1	5	6	3	2	4
7	8	1	2	4	5	6	9	3
5	9	3	6	1	8	7	4	2
2	6	4	3	7	9	5	1	8

361

5	1	9	8	4	6	2	3	7
8	7	4	3	2	1	5	6	9
6	2	3	5	9	7	8	4	1
2	5	7	9	1	3	6	8	4
4	8	6	2	7	5	9	1	3
9	3	1	6	8	4	7	5	2
3	9	2	4	6	8	1	7	5
7	4	8	1	5	9	3	2	6
1	6	5	7	3	2	4	9	8

362

6	2	5	3	9	1	4	7	8
9	4	8	2	7	6	5	1	3
1	7	3	4	8	5	9	6	2
2	9	1	7	6	8	3	4	5
7	3	6	9	5	4	8	2	1
8	5	4	1	2	3	7	9	6
4	1	7	8	3	2	6	5	9
3	6	9	5	1	7	2	8	4
5	8	2	6	4	9	1	3	7

363

3	5	2	9	6	7	8	4	1
6	1	9	2	8	4	3	7	5
4	7	8	3	1	5	6	2	9
7	8	6	4	3	9	1	5	2
5	3	1	7	2	6	4	9	8
9	2	4	8	5	1	7	6	3
2	4	7	1	9	8	5	3	6
1	6	3	5	7	2	9	8	4
8	9	5	6	4	3	2	1	7

364

3	4	6	1	9	7	8	5	2
9	5	1	8	2	4	7	6	3
2	7	8	3	5	6	9	1	4
6	9	4	2	1	8	3	7	5
8	3	7	6	4	5	2	9	1
5	1	2	7	3	9	6	4	8
1	6	9	5	8	3	4	2	7
4	8	5	9	7	2	1	3	6
7	2	3	4	6	1	5	8	9

365

3	5	9	7	2	1	6	8	4
4	2	8	9	6	3	7	1	5
7	6	1	5	4	8	3	2	9
6	7	5	4	9	2	1	3	8
1	4	3	6	8	5	2	9	7
9	8	2	3	1	7	5	4	6
8	1	6	2	7	9	4	5	3
2	3	4	8	5	6	9	7	1
5	9	7	1	3	4	8	6	2

366

2	3	1	5	6	9	7	8	4
7	8	9	3	2	4	1	6	5
6	4	5	8	7	1	2	3	9
5	1	2	9	8	7	6	4	3
8	6	4	2	1	3	5	9	7
9	7	3	6	4	5	8	2	1
1	2	7	4	3	6	9	5	8
3	5	6	1	9	8	4	7	2
4	9	8	7	5	2	3	1	6

367

3	6	7	1	8	2	9	5	4
8	5	9	6	7	4	1	2	3
2	4	1	3	5	9	6	8	7
1	7	4	9	2	5	8	3	6
6	8	2	4	1	3	5	7	9
5	9	3	7	6	8	2	4	1
7	1	8	5	3	6	4	9	2
4	3	5	2	9	1	7	6	8
9	2	6	8	4	7	3	1	5

368

5	8	1	4	7	2	3	9	6
6	7	4	8	9	3	2	5	1
3	9	2	6	5	1	8	7	4
8	6	9	2	3	5	4	1	7
7	4	5	9	1	8	6	2	3
2	1	3	7	4	6	5	8	9
4	2	8	1	6	9	7	3	5
1	3	7	5	8	4	9	6	2
9	5	6	3	2	7	1	4	8

369

6	4	3	5	1	8	7	9	2
9	8	1	7	3	2	6	5	4
7	5	2	6	4	9	8	1	3
1	2	5	9	8	6	3	4	7
8	7	9	4	2	3	5	6	1
3	6	4	1	5	7	9	2	8
4	1	8	3	9	5	2	7	6
2	9	7	8	6	1	4	3	5
5	3	6	2	7	4	1	8	9

370

3	7	6	8	5	1	2	9	4
8	1	9	4	6	2	3	5	7
2	5	4	7	9	3	8	6	1
9	6	7	3	2	8	4	1	5
4	8	3	5	1	9	6	7	2
1	2	5	6	7	4	9	3	8
5	4	1	9	8	6	7	2	3
6	3	2	1	4	7	5	8	9
7	9	8	2	3	5	1	4	6

371

4	2	5	8	6	3	9	1	7
7	9	3	4	2	1	5	8	6
1	6	8	9	5	7	4	3	2
3	4	9	5	7	8	2	6	1
6	5	7	2	1	4	8	9	3
8	1	2	6	3	9	7	5	4
5	7	6	1	9	2	3	4	8
2	8	1	3	4	5	6	7	9
9	3	4	7	8	6	1	2	5

372

7	9	3	5	4	8	6	1	2
5	4	1	2	3	6	7	9	8
2	6	8	9	1	7	3	4	5
4	7	5	8	9	3	1	2	6
6	8	9	1	7	2	4	5	3
1	3	2	6	5	4	9	8	7
3	1	4	7	8	5	2	6	9
9	5	6	3	2	1	8	7	4
8	2	7	4	6	9	5	3	1

373

7	1	6	4	3	5	9	2	8
3	2	5	8	1	9	4	6	7
4	9	8	7	6	2	3	5	1
6	3	4	5	9	7	8	1	2
2	5	1	6	4	8	7	3	9
8	7	9	1	2	3	5	4	6
1	8	7	3	5	6	2	9	4
5	6	2	9	7	4	1	8	3
9	4	3	2	8	1	6	7	5

374

5	1	7	3	8	4	2	9	6
3	6	9	2	5	1	7	4	8
4	2	8	6	7	9	5	1	3
7	4	6	9	3	5	1	8	2
8	9	5	1	2	7	3	6	4
1	3	2	4	6	8	9	7	5
6	5	4	7	1	3	8	2	9
9	8	1	5	4	2	6	3	7
2	7	3	8	9	6	4	5	1

375

6	7	9	8	3	1	5	2	4
3	4	1	5	7	2	6	9	8
8	5	2	9	4	6	1	3	7
5	6	3	4	1	7	9	8	2
4	9	7	2	5	8	3	1	6
2	1	8	3	6	9	7	4	5
7	8	6	1	9	4	2	5	3
9	3	4	6	2	5	8	7	1
1	2	5	7	8	3	4	6	9

376

5	2	8	9	3	7	6	4	1
4	9	6	8	5	1	3	7	2
3	7	1	6	2	4	9	8	5
9	3	4	7	1	2	8	5	6
2	6	5	3	4	8	1	9	7
8	1	7	5	6	9	4	2	3
6	4	9	2	7	3	5	1	8
1	5	2	4	8	6	7	3	9
7	8	3	1	9	5	2	6	4

377

9	1	2	5	3	8	6	7	4
8	4	6	7	2	1	3	5	9
3	7	5	6	9	4	1	2	8
2	6	4	9	8	7	5	1	3
5	9	3	2	1	6	8	4	7
1	8	7	3	4	5	2	9	6
7	2	1	4	6	3	9	8	5
4	3	9	8	5	2	7	6	1
6	5	8	1	7	9	4	3	2

378

5	1	3	8	4	9	7	2	6
8	4	9	6	7	2	5	1	3
7	6	2	5	1	3	4	8	9
6	7	4	2	5	1	9	3	8
1	3	8	7	9	6	2	5	4
2	9	5	4	3	8	1	6	7
4	8	1	3	2	7	6	9	5
9	5	6	1	8	4	3	7	2
3	2	7	9	6	5	8	4	1

379

4	8	1	6	9	3	7	5	2
5	6	2	7	4	8	1	9	3
7	3	9	2	1	5	8	6	4
3	2	6	4	7	1	9	8	5
9	1	4	8	5	2	3	7	6
8	5	7	9	3	6	4	2	1
1	4	8	5	2	9	6	3	7
6	7	5	3	8	4	2	1	9
2	9	3	1	6	7	5	4	8

380

5	9	3	2	6	4	8	1	7
4	6	7	9	1	8	2	5	3
8	2	1	5	3	7	4	6	9
9	7	4	1	5	3	6	8	2
6	3	5	8	9	2	1	7	4
2	1	8	4	7	6	3	9	5
1	8	9	3	2	5	7	4	6
3	5	6	7	4	1	9	2	8
7	4	2	6	8	9	5	3	1

381

3	2	4	7	5	9	6	8	1
6	5	1	8	4	3	7	2	9
7	8	9	1	2	6	3	5	4
2	1	8	3	6	5	9	4	7
4	7	5	2	9	1	8	3	6
9	3	6	4	8	7	5	1	2
1	6	7	5	3	4	2	9	8
5	4	2	9	7	8	1	6	3
8	9	3	6	1	2	4	7	5

382

2	3	7	9	6	8	1	5	4
1	8	9	2	4	5	3	7	6
4	5	6	7	3	1	8	9	2
5	6	3	8	2	9	7	4	1
8	4	2	1	7	6	9	3	5
7	9	1	4	5	3	6	2	8
9	1	4	3	8	2	5	6	7
3	7	5	6	1	4	2	8	9
6	2	8	5	9	7	4	1	3

383

7	2	5	6	1	8	9	4	3
9	8	3	2	4	5	6	7	1
4	6	1	9	7	3	2	5	8
6	5	9	1	3	7	4	8	2
3	1	7	8	2	4	5	9	6
2	4	8	5	9	6	1	3	7
8	9	2	7	5	1	3	6	4
1	7	4	3	6	9	8	2	5
5	3	6	4	8	2	7	1	9

384

9	2	4	1	5	7	6	8	3
6	5	1	8	4	3	2	7	9
3	8	7	9	2	6	1	4	5
5	3	2	4	1	9	7	6	8
1	6	8	3	7	5	4	9	2
4	7	9	2	6	8	5	3	1
2	4	3	6	8	1	9	5	7
7	9	6	5	3	2	8	1	4
8	1	5	7	9	4	3	2	6

385

9	6	1	7	3	4	5	8	2
5	3	2	6	1	8	9	7	4
8	7	4	5	2	9	6	1	3
1	9	8	3	4	2	7	5	6
2	5	3	9	6	7	1	4	8
7	4	6	8	5	1	3	2	9
4	2	9	1	7	3	8	6	5
3	1	5	4	8	6	2	9	7
6	8	7	2	9	5	4	3	1

386

8	7	2	6	1	3	9	5	4
9	1	4	5	7	2	6	8	3
5	3	6	4	9	8	2	1	7
1	5	7	3	2	6	4	9	8
6	8	9	7	5	4	1	3	2
2	4	3	9	8	1	7	6	5
7	2	5	8	6	9	3	4	1
4	6	8	1	3	7	5	2	9
3	9	1	2	4	5	8	7	6

387

7	5	3	4	9	6	1	8	2
4	2	9	8	1	5	7	3	6
1	6	8	2	3	7	5	9	4
9	4	1	5	6	2	8	7	3
8	7	5	3	4	1	6	2	9
6	3	2	7	8	9	4	5	1
2	8	6	9	5	4	3	1	7
3	1	7	6	2	8	9	4	5
5	9	4	1	7	3	2	6	8

388

7	8	1	6	4	9	3	2	5
6	9	4	2	5	3	7	8	1
2	3	5	1	7	8	6	4	9
9	1	6	3	8	2	5	7	4
3	5	8	4	6	7	9	1	2
4	7	2	5	9	1	8	6	3
5	4	3	8	1	6	2	9	7
1	6	9	7	2	5	4	3	8
8	2	7	9	3	4	1	5	6

389

5	9	3	8	6	7	1	4	2
4	2	1	3	9	5	7	6	8
7	6	8	2	4	1	9	5	3
9	8	5	4	3	2	6	7	1
2	7	6	9	1	8	4	3	5
3	1	4	7	5	6	2	8	9
6	3	7	5	2	9	8	1	4
1	5	2	6	8	4	3	9	7
8	4	9	1	7	3	5	2	6

390

6	1	9	3	7	2	8	5	4
7	4	8	1	9	5	3	6	2
3	2	5	6	4	8	9	1	7
8	7	2	4	6	3	1	9	5
9	5	4	8	2	1	6	7	3
1	6	3	9	5	7	4	2	8
2	9	1	5	3	4	7	8	6
5	3	6	7	8	9	2	4	1
4	8	7	2	1	6	5	3	9

391

1	9	7	6	4	5	2	8	3
8	4	5	3	1	2	9	7	6
6	3	2	9	8	7	4	1	5
5	7	8	2	6	9	3	4	1
3	2	9	1	7	4	5	6	8
4	1	6	5	3	8	7	2	9
2	8	1	4	5	3	6	9	7
7	5	4	8	9	6	1	3	2
9	6	3	7	2	1	8	5	4

392

8	6	5	2	7	3	1	4	9
3	7	1	4	9	5	8	6	2
2	9	4	1	8	6	7	3	5
9	1	3	5	2	7	4	8	6
5	4	7	8	6	9	2	1	3
6	2	8	3	4	1	9	5	7
7	3	6	9	1	4	5	2	8
1	5	2	7	3	8	6	9	4
4	8	9	6	5	2	3	7	1

393

1	2	5	9	7	3	8	4	6
4	9	7	6	8	5	1	3	2
8	6	3	1	2	4	5	7	9
7	4	9	3	5	1	6	2	8
5	1	2	8	4	6	3	9	7
3	8	6	2	9	7	4	5	1
6	5	4	7	1	2	9	8	3
2	3	8	4	6	9	7	1	5
9	7	1	5	3	8	2	6	4

394

6	8	3	1	2	4	9	7	5
4	1	9	3	5	7	2	8	6
5	7	2	9	8	6	4	3	1
2	4	7	8	6	3	5	1	9
9	3	8	4	1	5	6	2	7
1	5	6	2	7	9	3	4	8
8	9	4	5	3	1	7	6	2
3	6	1	7	9	2	8	5	4
7	2	5	6	4	8	1	9	3

395

8	9	7	3	5	2	1	4	6
6	5	3	8	1	4	7	2	9
2	1	4	7	9	6	5	3	8
1	8	6	4	2	5	9	7	3
5	7	9	1	3	8	4	6	2
3	4	2	9	6	7	8	5	1
4	3	5	2	8	1	6	9	7
9	6	8	5	7	3	2	1	4
7	2	1	6	4	9	3	8	5

396

6	4	3	2	9	5	1	8	7
5	9	7	6	8	1	3	2	4
2	1	8	4	7	3	5	6	9
3	2	1	5	4	8	9	7	6
9	8	4	7	1	6	2	3	5
7	6	5	3	2	9	8	4	1
4	3	9	8	5	7	6	1	2
8	5	2	1	6	4	7	9	3
1	7	6	9	3	2	4	5	8

397

5	6	9	2	8	3	1	4	7
4	7	1	9	6	5	8	3	2
8	3	2	7	4	1	6	9	5
3	5	8	4	9	6	7	2	1
2	9	6	1	7	8	4	5	3
1	4	7	3	5	2	9	8	6
6	1	4	5	3	9	2	7	8
9	2	5	8	1	7	3	6	4
7	8	3	6	2	4	5	1	9

398

4	3	1	2	9	5	7	6	8
8	7	9	6	1	4	3	2	5
2	6	5	7	3	8	9	4	1
3	5	4	8	2	6	1	7	9
1	8	2	5	7	9	6	3	4
6	9	7	3	4	1	8	5	2
7	4	3	1	8	2	5	9	6
5	2	8	9	6	3	4	1	7
9	1	6	4	5	7	2	8	3

399

6	9	1	2	3	8	4	5	7
3	2	4	1	7	5	8	9	6
5	8	7	4	6	9	3	2	1
7	3	5	8	4	6	2	1	9
2	4	9	7	5	1	6	8	3
8	1	6	3	9	2	7	4	5
1	7	2	9	8	3	5	6	4
9	5	3	6	2	4	1	7	8
4	6	8	5	1	7	9	3	2

400

6	3	5	4	7	2	8	1	9
1	9	7	3	8	5	2	4	6
2	8	4	1	6	9	3	7	5
8	6	2	9	1	3	7	5	4
9	7	1	5	4	8	6	2	3
5	4	3	7	2	6	1	9	8
4	2	9	6	3	1	5	8	7
3	5	8	2	9	7	4	6	1
7	1	6	8	5	4	9	3	2

401

6	5	3	9	4	7	2	1	8
1	2	7	3	5	8	9	6	4
9	8	4	2	1	6	3	7	5
3	4	9	6	7	1	8	5	2
8	1	6	5	9	2	7	4	3
5	7	2	4	8	3	1	9	6
4	3	8	7	6	9	5	2	1
2	9	5	1	3	4	6	8	7
7	6	1	8	2	5	4	3	9

402

2	6	9	8	1	3	4	5	7
4	7	8	5	6	2	9	3	1
1	5	3	4	9	7	8	2	6
7	9	4	2	8	6	3	1	5
5	8	2	1	3	9	6	7	4
6	3	1	7	5	4	2	9	8
9	2	5	6	7	8	1	4	3
8	4	7	3	2	1	5	6	9
3	1	6	9	4	5	7	8	2

403

7	4	5	2	1	3	8	6	9
2	3	8	5	6	9	7	4	1
9	6	1	7	8	4	5	3	2
1	8	2	4	3	5	6	9	7
4	9	6	8	7	2	1	5	3
5	7	3	1	9	6	4	2	8
3	5	7	6	2	1	9	8	4
6	1	9	3	4	8	2	7	5
8	2	4	9	5	7	3	1	6

404

7	4	1	8	2	5	6	9	3
9	2	5	3	6	4	8	7	1
8	3	6	1	9	7	2	5	4
6	8	9	4	3	2	5	1	7
4	7	3	5	1	6	9	2	8
1	5	2	9	7	8	3	4	6
3	9	7	2	8	1	4	6	5
5	6	8	7	4	9	1	3	2
2	1	4	6	5	3	7	8	9

405

1	2	5	7	4	6	9	8	3
3	8	6	1	9	5	4	2	7
9	7	4	3	8	2	1	5	6
8	5	1	9	7	4	3	6	2
4	3	2	6	5	1	8	7	9
7	6	9	8	2	3	5	4	1
6	4	7	5	1	9	2	3	8
5	9	3	2	6	8	7	1	4
2	1	8	4	3	7	6	9	5

406

7	4	9	2	6	1	5	3	8
8	5	2	3	7	4	6	9	1
1	3	6	8	9	5	4	2	7
4	7	3	6	1	8	9	5	2
9	2	8	5	4	7	1	6	3
6	1	5	9	2	3	8	7	4
5	9	1	4	3	2	7	8	6
3	6	7	1	8	9	2	4	5
2	8	4	7	5	6	3	1	9

407

1	5	6	3	2	7	8	4	9
7	4	2	5	8	9	3	1	6
8	9	3	4	6	1	5	7	2
5	6	9	7	1	2	4	3	8
4	8	1	9	5	3	2	6	7
3	2	7	6	4	8	1	9	5
9	1	5	2	7	4	6	8	3
6	7	8	1	3	5	9	2	4
2	3	4	8	9	6	7	5	1

408

3	4	1	2	7	5	6	8	9
9	6	5	1	4	8	7	3	2
7	2	8	6	3	9	1	5	4
5	9	3	8	1	2	4	6	7
4	7	2	5	6	3	8	9	1
1	8	6	7	9	4	5	2	3
8	5	9	4	2	7	3	1	6
2	1	4	3	5	6	9	7	8
6	3	7	9	8	1	2	4	5

409

8	9	6	5	7	1	2	4	3
2	1	7	9	3	4	6	5	8
3	4	5	6	8	2	7	9	1
5	2	4	8	1	3	9	6	7
9	7	3	2	5	6	8	1	4
1	6	8	4	9	7	3	2	5
6	5	9	7	4	8	1	3	2
4	8	1	3	2	9	5	7	6
7	3	2	1	6	5	4	8	9

410

5	3	9	6	7	4	1	8	2
6	4	2	8	9	1	3	5	7
8	7	1	5	3	2	6	9	4
4	1	7	9	5	8	2	6	3
2	6	8	1	4	3	5	7	9
3	9	5	7	2	6	8	4	1
7	8	6	2	1	9	4	3	5
1	5	4	3	8	7	9	2	6
9	2	3	4	6	5	7	1	8

411

8	9	7	5	4	2	3	6	1
5	1	2	3	6	8	9	7	4
4	3	6	9	7	1	2	5	8
7	6	4	2	5	3	1	8	9
9	2	8	7	1	4	6	3	5
3	5	1	6	8	9	7	4	2
6	7	9	8	2	5	4	1	3
1	8	3	4	9	6	5	2	7
2	4	5	1	3	7	8	9	6

412

1	4	9	6	7	3	2	8	5
8	6	5	2	4	9	1	3	7
7	2	3	5	8	1	4	6	9
6	3	1	9	2	4	5	7	8
4	9	2	7	5	8	6	1	3
5	7	8	3	1	6	9	2	4
2	1	4	8	9	7	3	5	6
9	8	6	1	3	5	7	4	2
3	5	7	4	6	2	8	9	1

413

3	2	9	4	5	8	1	6	7
1	4	6	9	2	7	8	5	3
7	8	5	3	6	1	2	9	4
9	7	1	6	8	3	5	4	2
8	5	3	2	1	4	6	7	9
4	6	2	5	7	9	3	1	8
5	3	4	1	9	2	7	8	6
2	1	8	7	4	6	9	3	5
6	9	7	8	3	5	4	2	1

414

4	1	9	2	3	7	8	5	6
2	8	3	4	6	5	7	1	9
7	6	5	1	9	8	4	3	2
1	3	6	7	8	2	5	9	4
8	2	4	6	5	9	1	7	3
5	9	7	3	4	1	6	2	8
9	5	1	8	2	4	3	6	7
6	4	2	5	7	3	9	8	1
3	7	8	9	1	6	2	4	5

415

3	8	1	9	5	7	2	6	4
4	6	7	2	1	8	9	5	3
9	5	2	4	3	6	7	8	1
6	7	9	3	8	4	1	2	5
5	2	3	7	9	1	8	4	6
8	1	4	6	2	5	3	7	9
1	3	6	5	7	2	4	9	8
2	4	8	1	6	9	5	3	7
7	9	5	8	4	3	6	1	2

416

4	2	6	7	9	3	8	1	5
8	9	1	6	5	4	2	7	3
7	3	5	2	8	1	4	9	6
2	4	8	9	1	5	3	6	7
5	1	3	8	7	6	9	2	4
9	6	7	4	3	2	1	5	8
6	8	2	5	4	9	7	3	1
3	5	4	1	2	7	6	8	9
1	7	9	3	6	8	5	4	2

417

1	3	5	9	4	6	2	8	7
7	2	6	8	5	1	3	4	9
9	8	4	7	2	3	1	5	6
2	7	8	5	9	4	6	3	1
3	6	9	2	1	8	5	7	4
5	4	1	3	6	7	9	2	8
4	9	2	1	8	5	7	6	3
8	5	7	6	3	9	4	1	2
6	1	3	4	7	2	8	9	5

418

4	9	3	1	6	7	2	8	5
8	7	1	2	5	3	4	9	6
5	2	6	8	9	4	1	7	3
7	3	4	6	8	1	5	2	9
1	5	8	3	2	9	6	4	7
2	6	9	4	7	5	3	1	8
9	1	2	7	3	6	8	5	4
6	4	7	5	1	8	9	3	2
3	8	5	9	4	2	7	6	1

419

3	9	5	8	1	4	6	7	2
4	2	7	6	5	9	1	3	8
6	8	1	2	7	3	5	9	4
2	5	9	7	8	1	4	6	3
8	4	6	9	3	5	7	2	1
7	1	3	4	6	2	8	5	9
1	6	4	3	2	7	9	8	5
5	7	2	1	9	8	3	4	6
9	3	8	5	4	6	2	1	7

420

5	2	1	9	6	8	7	3	4
4	7	9	2	1	3	6	5	8
6	8	3	7	4	5	1	9	2
2	6	4	1	5	9	3	8	7
1	3	7	6	8	4	9	2	5
8	9	5	3	2	7	4	6	1
7	4	2	5	3	6	8	1	9
3	1	8	4	9	2	5	7	6
9	5	6	8	7	1	2	4	3

421

9	2	7	1	3	6	4	5	8
1	4	5	7	8	9	3	6	2
6	8	3	2	5	4	9	7	1
4	5	8	9	1	2	7	3	6
2	9	6	8	7	3	1	4	5
7	3	1	4	6	5	2	8	9
3	7	2	5	9	8	6	1	4
8	6	4	3	2	1	5	9	7
5	1	9	6	4	7	8	2	3

422

8	5	4	2	6	9	7	3	1
7	1	9	8	3	5	4	2	6
2	3	6	4	1	7	8	5	9
3	2	1	9	8	4	6	7	5
6	9	7	3	5	2	1	4	8
4	8	5	6	7	1	2	9	3
1	4	3	5	2	6	9	8	7
9	6	8	7	4	3	5	1	2
5	7	2	1	9	8	3	6	4

423

5	4	7	2	8	9	6	1	3
9	8	1	7	6	3	5	4	2
3	6	2	5	1	4	8	9	7
8	1	9	4	3	7	2	5	6
7	2	6	8	9	5	4	3	1
4	3	5	1	2	6	7	8	9
2	9	3	6	4	8	1	7	5
6	5	4	9	7	1	3	2	8
1	7	8	3	5	2	9	6	4

424

4	9	3	1	2	7	6	5	8
5	8	6	4	3	9	7	1	2
7	1	2	8	5	6	3	4	9
1	4	7	2	6	3	9	8	5
3	5	9	7	8	4	2	6	1
6	2	8	9	1	5	4	3	7
8	6	1	3	9	2	5	7	4
9	7	5	6	4	8	1	2	3
2	3	4	5	7	1	8	9	6

425

3	4	6	5	9	1	7	8	2
2	1	8	7	6	4	3	5	9
9	5	7	8	3	2	6	4	1
8	2	9	3	1	5	4	7	6
7	6	1	9	4	8	5	2	3
5	3	4	6	2	7	1	9	8
4	8	3	2	5	6	9	1	7
1	9	2	4	7	3	8	6	5
6	7	5	1	8	9	2	3	4

426

5	1	3	7	9	6	2	4	8
4	8	2	3	1	5	6	9	7
9	6	7	2	8	4	5	3	1
3	7	4	6	5	8	9	1	2
1	2	9	4	3	7	8	5	6
6	5	8	9	2	1	3	7	4
2	3	1	8	7	9	4	6	5
7	9	6	5	4	2	1	8	3
8	4	5	1	6	3	7	2	9

427

3	4	9	6	1	2	7	5	8
8	7	1	5	4	3	2	9	6
5	2	6	7	8	9	4	1	3
6	9	4	1	2	8	3	7	5
7	8	2	3	6	5	1	4	9
1	3	5	9	7	4	6	8	2
4	1	8	2	5	6	9	3	7
9	6	7	8	3	1	5	2	4
2	5	3	4	9	7	8	6	1

428

5	1	6	4	3	2	8	9	7
8	2	7	9	6	5	4	1	3
4	3	9	1	8	7	5	6	2
1	7	2	6	9	4	3	5	8
9	4	3	5	1	8	7	2	6
6	8	5	2	7	3	1	4	9
2	6	8	3	4	1	9	7	5
3	9	4	7	5	6	2	8	1
7	5	1	8	2	9	6	3	4

429

7	6	1	9	5	3	4	8	2
9	8	5	2	1	4	3	6	7
2	4	3	8	6	7	5	1	9
1	7	8	3	9	6	2	4	5
3	2	6	5	4	1	9	7	8
5	9	4	7	8	2	1	3	6
8	1	2	4	7	9	6	5	3
6	3	7	1	2	5	8	9	4
4	5	9	6	3	8	7	2	1

430

4	9	3	7	5	1	2	8	6
7	2	5	6	8	4	3	9	1
1	8	6	9	2	3	7	4	5
3	6	7	4	1	5	8	2	9
2	4	1	3	9	8	6	5	7
8	5	9	2	7	6	1	3	4
9	3	4	1	6	2	5	7	8
6	7	8	5	3	9	4	1	2
5	1	2	8	4	7	9	6	3

431

2	6	8	5	4	7	1	3	9
1	3	9	6	8	2	5	7	4
4	7	5	1	9	3	2	8	6
7	5	2	9	6	1	3	4	8
3	4	6	8	7	5	9	1	2
9	8	1	3	2	4	6	5	7
5	9	7	4	3	6	8	2	1
6	2	3	7	1	8	4	9	5
8	1	4	2	5	9	7	6	3

432

5	7	3	1	6	4	9	8	2
1	9	6	5	8	2	7	3	4
4	8	2	3	7	9	6	1	5
3	1	9	6	4	5	8	2	7
7	4	5	8	2	1	3	6	9
2	6	8	7	9	3	4	5	1
8	3	1	4	5	7	2	9	6
6	2	4	9	1	8	5	7	3
9	5	7	2	3	6	1	4	8

433

6	4	9	8	1	7	5	3	2
3	8	5	6	2	4	1	7	9
2	7	1	9	3	5	8	6	4
8	9	3	5	6	2	7	4	1
5	2	4	1	7	8	6	9	3
7	1	6	3	4	9	2	5	8
4	3	8	7	5	1	9	2	6
1	6	7	2	9	3	4	8	5
9	5	2	4	8	6	3	1	7

434

1	6	5	2	7	8	9	3	4
2	4	3	5	9	6	8	7	1
7	8	9	3	1	4	6	5	2
5	2	8	4	6	3	7	1	9
6	3	1	9	5	7	4	2	8
4	9	7	8	2	1	3	6	5
8	5	6	7	4	2	1	9	3
9	7	4	1	3	5	2	8	6
3	1	2	6	8	9	5	4	7

435

6	7	4	3	5	8	1	9	2
2	8	1	4	6	9	5	7	3
5	3	9	2	7	1	4	6	8
3	5	2	8	9	4	6	1	7
8	4	7	1	2	6	3	5	9
1	9	6	5	3	7	8	2	4
4	6	8	9	1	2	7	3	5
9	1	5	7	8	3	2	4	6
7	2	3	6	4	5	9	8	1

436

9	2	6	5	1	3	4	8	7
3	1	8	7	2	4	6	5	9
7	4	5	6	9	8	1	3	2
2	7	4	8	3	9	5	6	1
5	6	3	4	7	1	9	2	8
1	8	9	2	5	6	3	7	4
8	9	2	1	6	5	7	4	3
6	3	7	9	4	2	8	1	5
4	5	1	3	8	7	2	9	6

437

2	4	9	1	8	3	7	5	6
7	8	5	2	9	6	3	1	4
6	3	1	4	7	5	9	2	8
3	5	2	9	6	8	4	7	1
8	9	6	7	1	4	5	3	2
4	1	7	5	3	2	6	8	9
5	7	4	6	2	1	8	9	3
9	2	3	8	4	7	1	6	5
1	6	8	3	5	9	2	4	7

438

1	4	7	6	3	5	8	2	9
8	5	2	9	7	4	3	1	6
6	9	3	1	2	8	5	7	4
2	1	4	7	8	6	9	5	3
9	3	8	4	5	2	1	6	7
7	6	5	3	1	9	4	8	2
3	2	1	5	4	7	6	9	8
5	7	6	8	9	3	2	4	1
4	8	9	2	6	1	7	3	5

439

1	6	5	8	3	2	4	9	7
4	2	7	6	1	9	5	8	3
9	8	3	5	4	7	2	6	1
8	7	1	9	2	5	3	4	6
5	3	2	4	7	6	9	1	8
6	9	4	1	8	3	7	2	5
3	5	9	2	6	8	1	7	4
2	4	8	7	5	1	6	3	9
7	1	6	3	9	4	8	5	2

440

8	7	6	1	2	9	4	5	3
2	3	4	8	6	5	1	7	9
1	5	9	7	3	4	6	2	8
9	2	5	4	8	3	7	1	6
6	4	1	9	5	7	8	3	2
7	8	3	6	1	2	5	9	4
5	6	8	2	9	1	3	4	7
4	1	2	3	7	6	9	8	5
3	9	7	5	4	8	2	6	1

441

8	1	7	5	6	9	2	3	4
3	5	6	2	4	7	9	8	1
4	9	2	3	8	1	5	6	7
2	8	5	9	3	4	7	1	6
1	7	3	8	2	6	4	9	5
9	6	4	7	1	5	8	2	3
6	3	9	4	7	2	1	5	8
5	4	1	6	9	8	3	7	2
7	2	8	1	5	3	6	4	9

442

2	1	5	7	8	9	4	3	6
9	3	8	4	6	5	7	2	1
4	7	6	1	2	3	9	5	8
3	4	9	2	5	6	8	1	7
5	6	7	8	4	1	2	9	3
8	2	1	3	9	7	5	6	4
7	9	3	5	1	8	6	4	2
6	8	4	9	3	2	1	7	5
1	5	2	6	7	4	3	8	9

443

6	7	3	4	5	8	9	1	2
4	2	5	7	1	9	3	6	8
9	8	1	2	6	3	4	7	5
2	6	9	1	3	5	8	4	7
7	5	8	6	2	4	1	3	9
3	1	4	9	8	7	2	5	6
8	4	6	5	9	1	7	2	3
1	9	2	3	7	6	5	8	4
5	3	7	8	4	2	6	9	1

444

2	7	6	5	9	3	4	1	8
5	1	3	2	8	4	7	9	6
8	4	9	7	6	1	3	2	5
4	5	7	1	3	9	6	8	2
9	8	1	6	4	2	5	3	7
6	3	2	8	7	5	9	4	1
7	6	4	3	2	8	1	5	9
3	2	5	9	1	6	8	7	4
1	9	8	4	5	7	2	6	3

445

7	2	6	5	8	9	3	1	4
8	5	4	3	7	1	9	6	2
3	9	1	6	4	2	7	5	8
1	3	8	7	5	6	4	2	9
5	7	9	4	2	3	1	8	6
4	6	2	1	9	8	5	3	7
6	4	3	8	1	7	2	9	5
2	8	7	9	3	5	6	4	1
9	1	5	2	6	4	8	7	3

446

8	7	6	2	9	1	5	4	3
2	1	3	5	4	8	7	6	9
9	4	5	3	7	6	8	2	1
1	6	7	8	2	3	4	9	5
3	8	4	6	5	9	2	1	7
5	9	2	4	1	7	3	8	6
6	3	1	7	8	4	9	5	2
4	5	9	1	3	2	6	7	8
7	2	8	9	6	5	1	3	4

447

2	4	3	5	8	7	9	6	1
5	1	7	6	9	2	3	4	8
8	6	9	3	4	1	5	2	7
7	3	8	4	5	9	2	1	6
9	2	1	7	6	8	4	3	5
6	5	4	1	2	3	7	8	9
1	7	6	9	3	4	8	5	2
4	9	2	8	1	5	6	7	3
3	8	5	2	7	6	1	9	4

448

8	2	5	3	6	4	7	1	9
3	7	4	1	9	2	8	6	5
6	9	1	7	8	5	2	3	4
2	3	8	6	4	7	9	5	1
9	5	7	2	3	1	6	4	8
4	1	6	8	5	9	3	7	2
5	6	9	4	7	8	1	2	3
7	4	2	9	1	3	5	8	6
1	8	3	5	2	6	4	9	7

449

5	4	7	1	8	3	6	9	2
3	2	8	9	6	4	1	5	7
6	9	1	5	7	2	3	4	8
9	1	4	6	2	5	8	7	3
2	7	6	8	3	9	5	1	4
8	5	3	4	1	7	2	6	9
7	6	5	3	4	8	9	2	1
4	8	9	2	5	1	7	3	6
1	3	2	7	9	6	4	8	5

450

9	4	6	2	1	8	3	5	7
2	7	1	6	3	5	8	4	9
5	3	8	7	4	9	6	2	1
6	2	7	8	5	1	9	3	4
1	5	3	9	2	4	7	8	6
8	9	4	3	7	6	5	1	2
7	6	5	4	8	2	1	9	3
4	8	9	1	6	3	2	7	5
3	1	2	5	9	7	4	6	8

451

9	3	4	8	1	2	7	5	6
7	8	1	4	5	6	3	2	9
5	6	2	9	7	3	1	4	8
4	7	6	2	9	5	8	1	3
2	9	8	3	4	1	5	6	7
1	5	3	6	8	7	2	9	4
8	1	5	7	6	4	9	3	2
3	4	9	1	2	8	6	7	5
6	2	7	5	3	9	4	8	1

452

4	7	1	6	5	9	8	2	3
8	9	5	4	3	2	7	1	6
3	6	2	8	7	1	9	4	5
2	4	8	1	9	6	3	5	7
5	1	7	2	8	3	4	6	9
9	3	6	5	4	7	1	8	2
7	5	4	9	2	8	6	3	1
1	8	3	7	6	5	2	9	4
6	2	9	3	1	4	5	7	8